Ratonnades à Paris

précédé de

Les harkis à Paris

Paulette Péju

Ratonnades à Paris

précédé de

Les harkis à Paris

Préface de Pierre Vidal-Naquet

Introduction de Marcel Péju

Postface de François Maspero

La Découverte / Poche

Ratonnades à Paris a été publié initialement en novembre 1961, dans la collection « Cahiers libres » (n° 29) des Éditions François Maspero.

Les harkis à Paris a été publié initialement en juillet 1961, dans la collection « Cahiers libres » (n° 23) des Éditions François Maspero.

Catalogage Électre-Bibliographie

PÉJU, Paulette
Ratonnades à Paris ; précédé de Les harkis à Paris / préf. Pierre Vidal-Naquet ; introd. Marcel Péju ; postf. François Maspero - Paris : La Découverte, 2000 (La Découverte/Poche ; 100. Essais)

ISBN 2-7071-3329-9

Rameau :	Paris (France) : histoire : 1961 (Manifestations algériennes des 17-20 octobre)
	France. Armée. Troupes supplétives
Dewey :	944.75 : France. Depuis 1945
Public concerné :	Tout public

Si vous désirez être tenu régulièrement informé de nos parutions, il vous suffit d'envoyer vos nom et adresse au Éditions La Découverte, 9 *bis*, rue Abel-Hovelacque, 75013 Paris. Vous recevrez gratuitement notre bulletin trimestriel **A La Découverte**.

Préface

Alger – Paris – Alger

par Pierre Vidal-Naquet

Pour Jean-Luc Einaudi
et Mohammed Harbi

Parmi les énigmes les plus étranges que pose à l'historien et à l'honnête homme la guerre d'Algérie, il y a ceci : alors que chacun savait depuis l'ouverture, le 20 mai 1961, des négociations d'Évian entre le gouvernement français et les représentants du FLN qui s'étaient proclamés, en octobre 1958, gouvernement provisoire de la République algérienne (GPRA), et l'interruption des opérations offensives décidée unilatéralement par le gouvernement français à l'occasion de cette ouverture, que l'affaire algérienne, « pendante depuis 130 ans », comme le disait le général de Gaulle, allait se terminer par l'indépendance de « nos » départements d'Algérie, c'est justement alors, en 1961-1962, que cette même guerre atteint à Paris son pic de violence.

Rappelons les faits : multiplication, au printemps 1961, des opérations de répression avec tortures et assassinats par la police de M. Papon et ses auxiliaires : les harkis ; attentats, le plus souvent aveugles, perpétrés par les groupes de choc du FLN contre des policiers en 1960-1961 ; couvre-feu imposé le 5 octobre 1961 aux travailleurs algériens par Maurice Papon, ce qui constitue, selon l'expression de Mohammed Harbi, une « *ghettoïsation* des émigrés, résultat de l'action conjuguée du nationalisme algérien et du nationalisme français »[1] ; manifestation

1. Voir *Sou'al* n° 7, *L'Algérie vingt-cinq ans après*, octobre 1987, p. 71. Je citerai désormais ce numéro capital par son titre seul.

algérienne en riposte à ce couvre-feu le 17 octobre 1961 et les jours suivants, suivie d'un massacre policier qu'on peut qualifier de pogrom ; manifestations de la gauche enfin réveillée pendant l'automne et l'hiver 1961-1962, avec un pic au métro Charonne le 8 février 1962 et ses neuf morts, presque tous communistes ; obsèques, le 13, des victimes de ce meurtre avec une immense démonstration, essentiellement ouvrière. Quel paradoxe : le même gouvernement qui négocie avec les ministres algériens à Évian, combat l'OAS à Alger et à Oran, et conclura un accord de paix le 18 mars 1962, est celui qui matraque et qui tue à Paris et laisse dire le 30 octobre 1961 à son ministre de l'Intérieur, Roger Frey, après l'interpellation indignée de Claudius-Petit, qu'il n'avait pas « le commencement de l'ombre d'une preuve » que la répression ait eu le caractère dénoncé par cet ancien résistant unanimement respecté.

Qu'il y ait eu crise, et crise violente, en Algérie après le 20 mai 1961 s'explique aisément : le sort de sa population de statut européen était en jeu, quoi que puissent dire les accords à conclure. C'était la fin du système colonial et d'une domination sans réel partage. L'OAS, avec ses chefs militaires, ses équipes de tueurs et son personnel civil angoissé d'avoir à choisir entre « la valise ou le cercueil », a été l'expression d'un refus des prépondérants, grands et, plus encore, petits. Après un massacre particulièrement écœurant, celui des animateurs des centres sociaux, Germaine Tillion dénoncera les « singes sanglants » qui font la loi à Alger. Mais à Paris ?

Le présent volume rassemble sous une même couverture deux petits livres publiés en 1961 par François Maspero : *Les harkis à Paris*, en juillet, et *Ratonnades à Paris*, en novembre. Tous deux ont été aussitôt saisis par la police de M. Frey et de M. Papon, et n'ont donc connu, comme tant d'autres ouvrages, que la diffusion militante et celle que permettait la librairie de François Maspero, « La Joie de lire », rue Saint-Séverin. Leur auteur, Paulette Péju, n'est plus ici pour présenter ce que fut, en

1961, son enquête, mais son époux, Marcel Péju, dont le père, Élie Péju, fut, aux côtés de Jean-Pierre Lévy, d'Antoine Avinin, de Marc Bloch et de Claudius-Petit précisément, parmi les dirigeants de *Franc-Tireur*, un des trois principaux mouvements de résistance de la zone sud, explique en quelques pages comment elle a travaillé. François Maspero est lui-même présent dans ce volume. Le 17 octobre il avait été, près du pont Saint-Michel et un peu partout dans Paris, le témoin (ne mettons pas d'adjectif) de l'assaut meurtrier des forces de l'ordre.

En 1961, il ne s'agissait pas d'écrire l'histoire mais de la vivre, si possible de la faire et, éventuellement, de témoigner sur la vie et sur la mort. C'est ce qu'a fait Paulette Péju dans ces deux livres qu'anime certes une même passion pour la cause de l'indépendance algérienne telle que la voulait le FLN, mais qui sont très différents l'un de l'autre. *Les harkis à Paris*, après une introduction historico-juridique qui a inévitablement pris un coup de vieux, sont essentiellement un dossier des plaintes déposées par les victimes, ou les ayants droit des victimes, devant l'autorité judiciaire pour des sévices, voire des meurtres, accomplis par les dits harkis contre des membres ou supposés membres du FLN. La source de ces documents est sans mystère : ils proviennent du collectif d'avocats dont le « bâtonnier » était Jacques Vergès, et qui avait, par des procédés plus ou moins élégants, acquis, en 1960 et 1961, un quasi-monopole de la défense des militants du FLN. La passion idéologique et militante plutôt que la seule passion de la justice animait certes ces avocats qui entendaient être un *bloc* comme le FLN était (ou plutôt prétendait être) un *bloc*, comme la Révolution française avait été, selon Clemenceau, un *bloc*. Cela étant dit, la vraie question n'est pas de savoir ce que pensaient Jacques Vergès et ses amis mais si le dossier préparé par eux et publié par Paulette Péju était, pour l'essentiel, un dossier vrai, si les tortures avaient bel et bien été infligées.

Sur ce point, la réponse est indubitablement oui. J'invoquerai seulement ce que nous disent deux livres. Dans un ouvrage issu d'une thèse de sociologie historique, Mohand

Hamoumou, lui-même fils de harki, et soucieux de rendre à ce groupe ou à cette communauté une pleine justice, consacre quelques lignes aux harkis de Paris, et évoque « une véritable guérilla urbaine, avec parfois des débordements et de l'arbitraire »[2], ce qui relève de l'euphémisme. Il renvoie sur ce sujet au livre de Paulette Péju et signale que : « À la fin de la guerre d'Algérie, l'unité des harkis de Paris a été dissoute et ses membres ont été intégrés dans la police municipale[3]. » Dans un livre qui n'a probablement pas été écrit pour déplaire à Maurice Papon, l'historien Jean-Paul Brunet constate que les dénégations de la préfecture de Police au sujet du comportement des harkis semblent « relever de l'humour noir »[4]. Il a retrouvé dans les archives, pourtant épurées, de la préfecture de Police, ce qu'il appelle lui-même « un document terrifiant sur la conduite des harkis »[5] et a relevé dans les archives du Parquet de la Seine trace de 44 plaintes contre eux dont aucune n'a abouti à une inculpation. La police s'est du reste fermement opposée à ce que les harkis soient entendus [6]. Un silence quasi total fut gardé sur leur participation au 17 octobre.

Cela dit, le mot harki, qu'il soit prononcé par les uns ou par les autres, a des résonances affectives diverses, voire opposées, que l'historien se doit de dépasser. Pour les militants du FLN, le mot était prononcé avec haine. Ceux qui ont vu, à partir de 1962, le film de Jacques Panijel *Octobre à Paris*, document capital s'il en est, savent ce que je veux dire. Le comportement des harkis a été pour beaucoup dans l'escalade qui a mené au 17 octobre.

---

2. M. Hamoumou, *Et ils sont devenus harkis*, préface de Dominique Schnapper, Fayard, 1993, p. 117.
3. *Ibid.* Paris n'ayant pas à l'époque de maire, l'expression est quelque peu impropre. Il n'y a, du reste, aujourd'hui encore, pas de police municipale à Paris.
4. J.-P. Brunet, *Police contre FLN. Le drame d'octobre 1961*, Flammarion, 1999, p. 65.
5. *Ibid.*
6. *Ibid.*, p. 67.

M. Harbi a publié dans *Sou'al*, en septembre
« directives » signées Kr[7], dans lesquelles on peut l
plume d'un responsable de la Fédération de France du . ins-
tallé à Francfort, en date du 7 octobre 1961 : « Nous informer avec rapport détaillé sur la façon dont vous liquidez les harkis ; il paraît qu'un responsable, dénommé Djafar, recrute des harkis pour le renseigner et les abat une fois que les premiers recrutés lui en ont ramené d'autres et ainsi de suite. À ce sujet, il serait nécessaire de se pencher sur cette question et, s'il y a des possibilités au sein des harkis, il serait plus rentable de les organiser au sein même de la caserne pour faire ensuite un coup spectaculaire, soit une désertion massive, soit provoquer une mutinerie à l'intérieur de la caserne. Nous croyons qu'il [y a] des moyens de faire mieux que la liquidation physique et individuelle – si nous pouvions "récupérer" les harkis et faire une action politique spectaculaire, ça serait beaucoup plus rentable que la vengeance sur des pauvres types égarés. » Clairvoyance et indulgence d'un homme qui n'est pas sur le lieu du combat, mais témoignage aussi de l'atmosphère qui régnait dix jours avant le fatal 17 octobre.

Reste que pour d'autres les harkis évoquent, trente-huit ans après la fin de la guerre d'Algérie, tout autre chose : des femmes et des hommes issus de l'exil, plus ou moins bien intégrés dans la France dont ils sont citoyens et qui se répartissent inégalement sur l'échelle sociale. Il y a parmi eux des professeurs d'Université mais aussi, et bien davantage, des employés de l'Office national des forêts[8].

Mais, surtout pour ceux qui ont vécu les suites de la guerre d'Algérie, les harkis sont en quelque sorte auréolés par le mar-

---

7. Kaddour, c'est-à-dire Amar Ladlani, selon J.-P. Brunet, *op. cit.*, p. 80, n. 1.
8. Le livre déjà cité de Mohand Hamoumou s'efforce avec plus ou moins de bonheur de dresser un portrait historique et social de cette communauté. Il conclut, p. 290, qu'en majorité les enfants de harkis sont intégrés.

tyre que nombre d'entre eux ont subi en 1962, et auquel ceux qui sont venus en France, le plus souvent sans l'accord des autorités françaises, ont pu échapper. Et, naturellement, l'histoire réelle est beaucoup plus complexe. Toute structure impériale a besoin d'auxiliaires recrutés sur place ou importés pour servir l'ordre intérieur ou extérieur : ainsi Athènes avec les Scythes (la police) et les Thraces (mercenaires). La France coloniale n'a évidemment pas échappé à cette règle. Zouaves et tabors algériens ou marocains ont fait la guerre pour elle et avec elle. Leur contribution à la victoire de 1918 et à la libération de 1944 a été considérable.

Le cas des supplétifs pour lesquels on a généralisé de façon impropre le nom de harkis est assez différent. « Inventés » en 1955 dans les Aurès par l'ethnologue Jean Servier, ils ont été, avec toutes les nuances que l'on voudra, un instrument de l'ordre colonial et de la contre-guérilla[9]. Il existe en réalité toute une gamme de formations supplétives – C.R. Ageron a pu en compter sept – dont il est difficile de parler de façon globale. Par ailleurs, il y eut entre les supplétifs et l'ALN de singuliers va-et-vient. Nombre d'entre eux étaient des combattants algériens retournés, bien que le gouvernement du général de Gaulle ait été hostile à cette pratique. Inversement, les « groupes d'autodéfense » recrutés en milieu rural sont parfois passés avec armes et bagages au FLN[10]. Des formations supplétives, les « bleus de chauffe », ont joué un rôle proprement terroriste pendant la bataille d'Alger en 1957, et il n'est pas injuste de les comparer aux miliciens de 1942-1944. Les supplétifs ont été nombreux et

---

9. Il existe sur ce sujet une excellente mise au point de C.R. Ageron, « Les supplétifs algériens dans l'armée française pendant la guerre d'Algérie », *Vingtième siècle* 48 (oct.-déc. 1995), p. 3-20. L'article est fondé sur l'exploitation des archives du Service historique de l'Armée de terre.
10. Cf. le livre, très éclairant, sur un épisode de retournement par le FLN d'un groupe d'autodéfense en Kabylie, de Camille Lacoste-Dujardin, *Opération Oiseau bleu, des Kabyles, des ethnologues et la guerre d'Algérie,* La Découverte, 1997.

presque jusqu'à la fin de la guerre tous les chefs de l'armée ont demandé qu'on en recrute davantage. « Ce ne fut, écrit C.R. Ageron, que le 11 décembre 1961 que l'armée se résolut à leur reconnaître un statut sous forme de contrats limités à un mois, mais renouvelables[11]. « Il y eut toujours quelque chose d'ambigu dans leur statut. Le cabinet de Robert Lacoste proposa en octobre 1957 de changer le nom de « harka » en celui de « formation algérienne de contre-guérilla ». Le général Salan repoussa avec véhémence ce projet qui « aurait jeté les bases d'une future armée algérienne, matérialisant ainsi le principe d'une nation algérienne »[12].

En 1959 le général Challe croit, lui, possible de créer un « parti de la France » et donner ainsi aux musulmans enrôlés « une mentalité de résistants et non pas une mentalité de collaborateurs, comme c'est vrai encore dans beaucoup de cas aujourd'hui »[13].

Plus de 100 000 supplétifs furent ainsi rattachés à l'armée française. Leur comportement fut variable. Certains prenaient la précaution de payer régulièrement leurs cotisations à l'OPA (Organisation politico-administrative du FLN) tandis que d'autres étaient à la pointe du combat. Il est impossible de généraliser.

En mars 1962 l'armée proposa à 28 395 d'entre eux de choisir entre le retour à la vie civile avec prime de recasement et un engagement militaire ou civil. « Moins de 6 % des harkis acceptèrent de s'engager dans l'armée malgré des conditions exceptionnelles et les encouragements de leurs cadres français[14]. »

Peut-on reconstituer les motifs de ce que fut leur engagement ? Quoi qu'on ait pu en dire, ce n'est pas à la France de la Révolution de 1789 et de la Déclaration des droits de l'homme

11. *Loc. cit.*, p. 6.
12. *Loc. cit.* et n. 1 avec cette remarque manuscrite de Salan : « Je n'accepterai jamais pareil projet. Inutile d'en discuter. »
13. C.R. Ageron, *loc. cit.*, p. 9.
14. *Id., ibid.*, p. 20.

qu'ils ont, nombreux, donné leur adhésion, et c'est plutôt dans le camp d'en face qu'on se réfère aux grands principes. Il y eut assurément en Algérie un certain nombre de francisés, mais ils se rencontraient dans la bourgeoisie plutôt que chez les supplétifs[15].

En revanche, trois motivations ressortent avec évidence des documents : la possibilité d'échapper ainsi à la pression de l'armée française, la colère devant le comportement trop souvent sanguinaire du FLN, sont les deux principales ; Mohand Hamoumou cite avec raison cette formule de Mohammed Harbi : « Contre l'injustice, la paysannerie se protège par tous les moyens, même ceux qui ne servent pas la cause nationale. Le nombre des Algériens engagés dans les harkis est édifiant[16]. » Cette cruauté que symbolise assez bien, en 1957, le massacre de Melouza, ne peut être passée par profits et pertes. Elle colore encore l'Algérie actuelle. Elle montre ce que fut le FLN, à la fois mouvement de libération et structure de pouvoir, visant à réserver à une minorité bureaucratique modelée selon les pratiques et les principes staliniens le monopole du pouvoir, alors même que cette minorité est traversée de tensions, divisée entre des clans qui s'affrontent dans l'ombre. Ces traits également seront transposés en France, avec l'impitoyable lutte contre le MNA[17], et la volonté de contrôler l'ensemble de la population algérienne.

Troisième motivation enfin, bien évidemment : le salaire quotidien versé aux harkis, même s'il était modeste (750 anciens francs par jour), comptait pour beaucoup dans un pays sous-développé.

---

15. Cf. sur ce point les analyses de Mohand Hamoumou, *op. cit.*, p. 63-89.
16. M. Hamoumou, *op. cit.*, p. 184, citant M. Harbi, *Le FLN. Mirage et réalité*, Éditions J.A., 1980.
17. Il convient de rappeler que si, en Algérie, l'initiative fut frontiste, en France c'est le MNA, majoritaire au début de la guerre d'indépendance, qui déclencha les hostilités.

Reste que l'instauration de l'État algérien en juillet 1962, à la suite des accords d'Évian, eut pour nombre de harkis des conséquences dramatiques. En dépit de la lettre et de l'esprit des accords, « vengeance » il y eut, avec des massacres dont certains furent épouvantables. Dès 1962 j'ai, pour ma part, parlé de tragédie[18] en rappelant les responsabilités algériennes et françaises. Je n'entrerai pas dans le détail, trop souvent polémique, des discussions sur les chiffres. Massacre il y eut, non génocide, comme on le dit parfois absurdement – le massacre du 17 octobre 1961 n'est pas non plus un génocide. Dans un des documents les plus fiables, le rapport adressé à Alexandre Parodi, vice-président du Conseil d'État, par le sous-préfet français d'Akbou, en Petite Kabylie, dans la basse vallée de la Soummam, il est précisé que jusqu'au 27 juillet il ne se passa absolument rien. Le massacre commença peu après et se prolongea jusqu'en 1963. Mohand Hamoumou a eu le mérite de citer ce document[19], mais ne dit pas un seul mot de la crise marquée par l'éclatement du FLN au lendemain de l'indépendance[20]. Les massacres de harkis eurent lieu en certains endroits et non pas partout, dans une Algérie totalement désorganisée ; ils ne furent pas le fait de l'État mais plutôt de l'absence d'État.

---

18. *Le Monde,* 11-12 novembre 1962. Cet article, intitulé « La guerre révolutionnaire et la tragédie des harkis », me vaut souvent d'être pris pour cible. Il est interprété à contresens par Mohand Hamoumou dans son livre déjà cité. Le directeur du *Clin d'œil,* Ahmed Kabersali, m'a consacré plusieurs articles fort polémiques de cette feuille censée exprimer les sentiments des harkis, oubliant que l'article en question avait été écrit pour défendre leur cause. Il a été reproduit dans mon livre *Face à la raison d'État. Un historien dans la guerre d'Algérie,* La Découverte, 1989. Je me suis exprimé à ce sujet dans *Le Monde* du 10 novembre 1999, répondant à un article de Dominique Schnapper, *Le Monde,* 4 novembre 1999.
19. Dans *Esprit,* mai 1990, puis dans son livre, p. 238-243.
20. Voir l'analyse de M. Harbi, « L'implosion du FLN (été 1962) », *in* G. Meynier (éd.), *L'Algérie contemporaine. Bilan et solutions pour sortir de la crise,* L'Harmattan, 2000, p. 29-45.

Le document que j'ai cité ci-dessus, émanant d'un responsable de la Fédération de France du FLN, montre que le problème s'était posé à elle en 1961. C'est à la lumière de tout ce que nous avons appris depuis qu'il convient de lire ou de relire le premier livre de Paulette Péju.

C'est une heureuse idée que d'avoir joint *Ratonnades à Paris* à *Les harkis à Paris*, mais il faut souligner tout de suite combien les livres sont différents. *Ratonnades à Paris*, publié en novembre 1961 sous le choc de l'événement, est avant tout une revue de presse. Il y est démontré que les mensonges de Maurice Papon et de Roger Frey ont été dénoncés très rapidement. Même un journal comme *Le Figaro*, qui a mis longtemps des guillemets au mot torture, a exprimé son indignation le 23 octobre, sous la plume de Denis Périer-Daville qui n'était pas, il est vrai, très représentatif de la ligne habituelle du journal. On pourrait compléter cette revue de presse, signaler que les réactions ont évolué, au *Monde* par exemple, au fur et à mesure que l'information circulait, tandis que certains journaux, ainsi *Paris-Jour*, raisonnaient et affichaient comme si les Barbares avaient envahi le centre de Paris.

Inversement, en même temps que paraissait le livre de Paulette Péju était imprimé un numéro spécial de *Vérité-Liberté* que dirigeait Paul Thibaud, fruit d'une enquête d'histoire immédiate qui demeure encore aujourd'hui une source majeure. Jacques Panijel, secrétaire du Comité Maurice Audin et membre de l'équipe de *Vérité-Liberté*, qui était, entre beaucoup d'autres activités, cinéaste, se mettait au travail dans le bidonville de Nanterre et, avec l'accord de la Fédération de France du FLN, faisait parler devant la caméra victimes et témoins. Il intégra dans son documentaire de stupéfiantes photos prises par Élie Kagan dans des conditions qui avaient fait mieux que friser l'héroïsme. Il en résulta ce « film-cri » (Jean Clay), *Octobre à Paris*, qui connut une diffusion clandestine au printemps de 1962.

Après quoi l'oubli vint, très vite. Le 1er novembre 1961 deux manifestations du Comité Audin et du Centre du Landy (qui diffusait *Témoignages et Documents*) d'une part, et du PSU de l'autre, saluèrent à leur façon le septième anniversaire de la guerre et de la répression anti-algérienne. Elles ne regroupèrent que quelques milliers de personnes. Le 8 février 1962, ce fut Charonne, et le 13 les obsèques des victimes de la police. Un seul orateur, représentant la CFTC, évoqua le 17 octobre.

Puis vint la paix, paix de papier d'abord, puis paix plus réelle sur fond de crise algérienne et de départ des pieds-noirs et de harkis pour la France. L'oubli fut à la fois algérien et français[21]. En Algérie, s'il y a à Alger une place du 17 Octobre, Jacques Panijel eut quelques difficultés à projeter son film dans la capitale. On lui reprochait le mauvais français de ses personnages. Peut-être aussi lui reprochait-on le patronage discret de la Fédération de France, laquelle avait, lors de la crise, misé sur le mauvais cheval : les civils du GPRA contre les militaires de l'armée des frontières du colonel Boumédiène auxquels s'était adjoint Ben Bella. Toujours est-il que Marcel et Paulette Péju préparèrent pour les éditions Maspero un dossier beaucoup plus important que celui qui est présenté ici. Le livre était déjà en épreuves lorsque vint, de l'autorité algérienne, le conseil pressant de ne pas insister.

En France, la paix fut accueillie par un immense, et un peu lâche, soupir de soulagement. L'Algérie ne disparut pas des librairies, mais le 17 octobre, cet événement proprement stupéfiant, entra en phase de latence. En mai 1968, seul l'emploi du mot « ratonnade » par les étudiants insurgés témoigne de son souvenir. En 1981, la gauche au pouvoir comporte des députés et des ministres qui ont fait leur éducation politique contre la guerre d'Algérie. Cela n'empêche pas François Mitterrand de

---

21. Pour un bilan d'ensemble de la guerre d'Algérie, voit H. Elsenhans, *La Guerre d'Algérie, 1954-1962. La transition d'une France à une autre. Le passage de la IVe à la Ve République*, Publisud, 1999, avec une préface bibliographique magnifique de Gilbert Meynier, p. 7-60.

rétablir dans leurs grades et leurs honneurs les généraux de l'OAS, mais, en octobre 1981, lors du vingtième anniversaire du pogrom, celui-ci est commémoré à la télévision. En 1985, c'est le livre de Michel Lévine[22]. En 1987, Maurice Papon donne sa propre version, mensongère, du fait[23], mais le livre essentiel, qui fera rebondir l'enquête historique, est celui de Jean-Luc Einaudi, *La Bataille de Paris*[24]. Fondé sur des sources largement, mais non uniquement, algériennes, le livre d'Einaudi n'a rien d'apologétique, mais il met en lumière ce qui a été le mensonge fondamental de Maurice Papon et de ceux qui l'ont couvert : il n'y a pas eu d'affrontement armé entre Algériens et policiers. Ce mensonge a été proféré le jour même de la manifestation qui fut pacifique et désarmée.

Du coup la question centrale, celle des archives, était posée. Mohammed Harbi a publié en septembre 1987 dans *Sou'al* [*Question*] une partie de celles de la Fédération de France du FLN ; après le retour de la gauche au pouvoir en 1997, des enquêtes ont été lancées par le ministère de l'Intérieur (Dieudonné Mandelkern, président de section au Conseil d'État) et par le ministère de la Justice (avocat général Jean Geromini), cependant que lors de la comparution de Maurice Papon à Bordeaux, poursuivi pour les rafles de Juifs de 1943, un procès s'installait dans le procès et Jean-Luc Einaudi était longuement entendu comme témoin. Poursuivi en diffamation par Papon à Paris, il était relaxé. Oui dirent les juges le 26 mars 1999, il y avait effectivement eu un massacre le 17 octobre 1961. Une archiviste bien placée pour connaître ces dossiers, Brigitte Laîné, était venue à la barre de la 17e chambre confirmer le sérieux de l'enquête d'Einaudi et le caractère mensonger des propos de Maurice Papon[25].

---

22. *Les Ratonnades d'octobre,* Ramsay, 1985.
23. *Les Chevaux du pouvoir. Le préfet de police du général de Gaulle ouvre ses archives. 1958-1967,* Plon, 1987.
24. *La Bataille de Paris. 17 octobre 1961,* Seuil, 1991.
25. La quintessence de ces mensonges est rassemblée commodément dans une interview donnée au *Figaro* du 5 mai 1998.

Quelques mois plus tard, en octobre 1999, l'historien Jean-Paul Brunet publiait un livre que j'ai déjà cité et utilisé : *Police contre FLN.* Il avait eu le privilège de dépouiller soigneusement les archives de la Police, de la Justice et de l'Assistance publique. C'est un livre qui apporte beaucoup et ne nie nullement le caractère dramatique des événements. En le lisant, j'ai cependant été doublement inquiet. D'abord parce qu'aucun témoin algérien n'a été interrogé. Les seuls Algériens dont les noms apparaissent sont ceux qui s'étaient déjà exprimés par écrit ou oralement. Ensuite, parce que Jean-Paul Brunet était parvenu dès le mois d'octobre 1991 à des conclusions qui minimisaient à l'extrême le nombre des victimes, en s'appuyant pour l'essentiel sur le témoignage de... Maurice Papon[26]. La conclusion : quelques dizaines de victimes tout au plus, qui est aussi celle de M. Mandelkern, n'a-t-elle pas précédé la démonstration ?

Quitte à choquer certains de mes lecteurs, je dirai que la question du nombre des victimes, à mon avis plus élevé que ne le dit J.-P. Brunet, n'est pas ce qui est le plus important. Il ne s'agit pas non plus de nier que le FLN entendait régner en maître sur les communautés algériennes et qu'il n'hésitait pas, le cas échéant, à tuer et à jeter des cadavres dans la Seine. Ce qui m'importe est de reconstituer la logique ou la non-logique de l'événement.

Nous sommes après les premières négociations en 1960 à Melun, et au printemps et pendant l'été de 1961 à Évian et à Lugrin. Chacun sait que l'Algérie, au grand déplaisir de Michel Debré, Premier ministre, sera indépendante. Pourquoi cependant de Gaulle « couvre »-t-il Papon ? « Inadmissible mais secondaire » aurait-il dit au lendemain du drame. Probablement pour les mêmes raisons qui l'ont conduit à ordonner en 1959 les

---

26. France Culture organisa en ce mois une émission de « l'Histoire en direct » sur le 17 octobre et le livre d'Einaudi. Jean-Paul Brunet avait été invité sur ma suggestion et il signala qu'il avait interrogé Papon, mais qu'il ne voulait pas apparaître comme son porte-parole.

offensives du général Challe. Il entend, en Algérie comme à Paris, être maître du terrain.

Du côté algérien les documents publiés par *Sou'al* en septembre 1987 apportent beaucoup. On s'aperçoit alors que, à quelques jours, presque à quelques heures près, l'événement aurait pu ne pas intervenir. Le couvre-feu décidé le 5 octobre est rendu public le 6. Or le 7 octobre la directive de « Kaddour » (Amar Ladlani) est formelle : « Cesser toute attaque contre les policiers et, s'il y a légitime défense et qu'un policier est abattu, nous fournir un rapport circonstancié. » Pourquoi les dirigeants algériens en France s'étaient-ils lancés dans cette politique ? Pourquoi réagissent-ils au couvre-feu de Papon par les manifestations que l'on sait ? Peut-être tout simplement parce que, dans les luttes internes qui divisaient le FLN, ils voulaient peser de tout leur poids et rappeler leur existence.

Le 7 octobre, « Kaddour » ne sait encore rien des réactions provoquées par le couvre-feu et prévoit une célébration du 1er novembre en évitant « les provocations de tous bords ».

Le même jour, probablement le soir, la direction de la Fédération affirme la volonté de « mettre au pied du mur le peuple français ». Les partis politiques et les syndicats démocratiques « conseilleraient à leurs militants français de sortir aussi nombreux que possible, à partir de 20 h 30, pour s'intégrer s'il le faut aux paisibles promeneurs algériens et s'opposer s'il y a lieu aux provocations de la police »[27]. « Se promener »... s'entend avec femmes et enfants. Ce sera le samedi 14 octobre, décide le 10 le Comité fédéral, ou, à défaut, le mardi 17, et d'ajouter, non sans candeur : « À partir du troisième jour, tous les hommes sortiront normalement comme par le passé, comme si la mesure du couvre-feu n'existait pas[28]. » La même directive réclame à nouveau des détails sur les policiers abattus et aussi sur les crimes de la police. Le 14, « Maurice », c'est-à-dire

---

27. *Sou'al*, p. 74.
28. *Ibid.*, p. 75.

Mohammedi Saddek, coordinateur principal de la Fédération de France, fait savoir au Comité fédéral que la décision est prise de manifester, y compris dans les beaux quartiers, le 17. « Nous ne pouvons pas prévoir la réaction des sbires de Papon, mais les directives sont formelles. Nous ne cherchons pas la bagarre[29]. » Le 17, nouvelle lettre de « Maurice » : « J'ai le regret de vous annoncer que je viens d'apprendre à l'instant sur Europe n° 1 que les Algériens ont commencé à manifester le mardi 17.10.61 et ce à partir de 12 heures dans les quartiers de la Madeleine et de l'Opéra. Cette manifestation spontanée et par conséquent incontrôlable a coïncidé avec la grève des chemins de fer à la gare Saint-Lazare[30]. »

S'il n'existe aucun doute sur la volonté stricte du Front d'*encadrer,* au sens le plus ferme du mot, la manifestation, reste que celle-ci a eu sa part de spontanéité. La même lettre ajoute : « Nous espérons néanmoins que tout se déroulera normalement à partir de 20 h 30. » Tout dépend effectivement de ce qu'on entend par « normalement ». Les dirigeants du FLN n'étaient pas des anges, mais Maurice Papon – tous les témoignages et les documents le prouvent – était décidé à « couvrir » une police assurément meurtrie et excitée par les attentats dirigés contre des policiers, et l'autorité dans son ensemble a couvert Maurice Papon. Quant à la Justice, après avoir marqué quelques hésitations[31], elle suivit. Elle reste à rendre, mais l'historien est sans illusions sur ce point. Il lui suffit d'établir la vérité, et, dans ce domaine d'indiscutables progrès ont été accomplis.

Et maintenant, lisons les deux livres de Paulette Péju.

---

29. *Ibid.*, p. 80.
30. *Ibid.*, p. 81. La grève est une grève française sans rapport avec la guerre d'Algérie.
31. Bien marquées dans le Rapport de mission remis en mai 1999 et rédigé par Jean Geromini à la suite d'une demande d'Élisabeth Guigou, garde des Sceaux, en date du 3 juin 1998. Jean-Luc Einaudi m'a remis copie de ce document important.

Introduction

par Marcel Péju

Les deux petits livres qu'on va lire ne sont pas simplement œuvres de journalisme. Engagée comme moi aux côtés des Algériens en lutte pour leur indépendance, Paulette Péju, alors ma femme, les a vécus intensément, comme elle vivait toute chose. Les harkis de Paris, d'ailleurs, sujets du premier volume, n'étaient pas pour nous d'abstraits mercenaires d'un pouvoir colonial. Habitant un quartier où vivait, à l'époque, une forte population algérienne, il nous suffisait, en cette année 1960, d'approcher des fenêtres de notre cinquième étage pour voir leurs patrouilles, en file indienne, glisser lentement sur le trottoir d'en face, le long du jardin, comme aux aguets – bien qu'aucun « fell » ne se fût jamais dissimulé dans les bosquets –, la mitraillette à la main : les mêmes, ou leurs pareils, qui, sans doute, quelques heures plus tard, lanceraient des raids contre des cafés algériens, brutalisant et arrêtant les consommateurs, avant de les torturer dans les caves des hôtels que leur avait réquisitionnés la Préfecture de police.

Aussi, quand nos amis du « collectif » des avocats du FLN lui proposèrent d'écrire un livre – que publierait François Maspero – à partir des témoignages qu'ils avaient recueillis, accepta-t-elle sans hésitation. La documentation, hélas, était éloquente : il suffisait souvent de lui donner la parole. Ce qu'elle fit, tout en en situant les épisodes dans leur contexte et en restituant pour le lecteur l'épouvantable changement de climat que cette irruption barbare des harkis, organisée par le triste Maurice Papon – déjà coupable, contre les Juifs, de crime contre l'humanité, comme cela sera reconnu bien plus tard –, avait créé dans plusieurs quartiers de Paris.

Car dans tel ou tel arrondissement, désormais, la peur règne – qui n'épargne pas toujours, au demeurant, la population « de type européen », parfois victime de « bavures ». À l'égard des « Français musulmans », en revanche, il ne s'agit pas de bavures, mais de routine. Perquisitions, fouilles, enlèvements, brutalités se multiplient. On signale des viols. Dans les sous-sols fonctionnent des centres d'« interrogatoire », c'est-à-dire de tortures. Rien ne valant les mots des victimes elles-mêmes – celles, du moins, qui survécurent –, l'auteur s'efface largement derrière une insoutenable litanie de récits atroces, confirmés par des expertises médicales, jamais démentis par les autorités policières et objets de plaintes qui n'aboutissent jamais.

Ces exactions ne cesseront de se multiplier, de s'aggraver durant les six premiers mois de 1961 (quand s'arrête le livre), comme si les négociations engagées par le pouvoir français exacerbaient encore la rage de ces « supplétifs » de la répression: « Les harkis n'ont rien à ménager, rien à perdre que leur uniforme de mercenaire et le salaire de la trahison, peut écrire Paulette Péju. Ils ont même tout à redouter d'une solution pacifique de la guerre d'Algérie, puisque sans la guerre et la répression ils ne sont plus rien: ni algériens, ni français. Méprisés par ceux qui les utilisent, rejetés de la communauté algérienne, ils s'acharnent avec d'autant plus de violence sur leurs compatriotes qu'ils assassinent en eux leur propre image perdue: ils tentent d'effacer ce qu'ils ne peuvent plus être, ils fuient désespérément ce qu'ils sont devenus: les faux frères. »

Pierre Vidal-Naquet rappelle par ailleurs comment cette offensive du préfet Maurice Papon visant à « casser » les structures clandestines du FLN culmina dans sa décision du 5 octobre 1961 d'imposer aux travailleurs algériens une interdiction de circuler entre 20 h 30 et 5 h 30, « les débits de boissons tenus et fréquentés par des Français musulmans d'Algérie » [*sic*] devant, quant à eux, fermer à 19 heures. Mesures proprement racistes qui ne pouvaient évidemment laisser sans réagir ses victimes.

La riposte, on le sait, fut la manifestation rigoureusement pacifique organisée le 17 octobre suivant par la fédération de France du FLN. La manière dont cette démonstration de dignité, en tous points exemplaire, se transforma en véritable pogrom policier, quelques centaines d'Algériens désarmés se trouvant massacrés ou jetés dans la Seine : c'est le sujet du second livre de Paulette Péju, *Ratonnades à Paris*. Rédigé dans l'urgence, il brosse d'abord le panorama horrifié des réactions immédiates de la presse française, puis donne la parole aux victimes, dont beaucoup n'hésitèrent pas à porter plainte, évidemment sans résultat. Imprimé dans des délais records dès novembre 1961 par François Maspero, le livre sera aussitôt saisi par la police, comme l'avait été le premier.

Quelques mots s'imposent ici sur Élie Kagan, disparu en 1999, seul photographe de presse à s'être trouvé au premier rang, ce soir-là, et dont les clichés figurent dans ce petit volume. Je n'étais pas avec lui cette nuit du 17 octobre, ne le connaissant d'ailleurs pas encore. En compagnie de Claude Lanzmann, je sortais de chez Jacques Vergès où nous venions d'évoquer cette réplique du FLN aux persécutions policières et les moyens de la soutenir. Mais en arrivant près de l'Étoile, tandis que des CRS refoulaient brutalement un groupe d'Algériens, nous nous trouvâmes face à face avec un policier qui, seul au milieu du trottoir, brandissait un revolver au-dessus de sa tête, éructant des injures et criant qu'il fallait fusiller Ben Bella (dont les manifestants réclamaient la libération). Histoire de le calmer (?), nous lui fîmes observer que ledit Ben Bella, comme soldat, avait jadis contribué à la libération de la France : ce qui l'estomaqua un moment avant qu'il ne nous intimât, de nouveau vociférant, l'ordre de circuler.

Élie Kagan, lui, était sur les grands boulevards, au cœur du drame, fixant ces corps martyrisés, ces visages ensanglantés dont ses photos demeurent aujourd'hui le plus terrible témoignage visuel. Je ne le rencontrai que le lendemain matin, à *Libération*, où il montrait ses photos, notamment à ma femme, à qui il les donnerait pour son livre. Élie, ce géant roux et barbu, force de la nature, tremblait encore d'émotion, bouleversé par ce qu'il venait de voir et qui ne le quittera plus. Fils d'un Juif russe et d'une Juive polonaise, comment n'eût-il pas fait certains rapprochements ?

L'auteur

Paulette Flachat, devenue Péju par mariage (en 1943), naquit à Lyon en décembre 1919. Licenciée de philosophie, elle choisit, au sortir de la Résistance, de devenir journaliste et collabora d'abord à *Lyon libre*, un quotidien de gauche né à la Libération, qui disparaîtra en 1949. Nous étant, peu après, installés à Paris, elle participa, dès 1955, à la création et aux débuts de la station de radio Europe n° 1, qu'elle quittera en 1958. Elle entra alors au service étranger de *Libération* (première manière) où elle travailla jusqu'à la suppression du titre, en 1964. S'étant surtout consacrée, de ce moment, à des traductions et à des travaux d'édition, elle mourut prématurément, en février 1979, tuée par la cigarette.

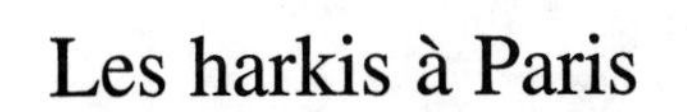

Les harkis à Paris

« Par l'arbitraire politique aussi, il [le fonctionnaire] est parfois protégé contre ses insuffisances ou ses fautes. »

Maurice PAPON,
L'Ère des responsables.

Ils sont apparus à Paris en 1960, avec le printemps. Uniforme bleu de la police, calot de l'armée, en file indienne par trois, par six, par huit, en doubles files, une sur chaque trottoir, pistolet au flanc, mitraillette à la main, à hauteur de la ceinture, les « harkis » se mirent à patrouiller dans les rues du XIIIe arrondissement. La population européenne du quartier les regardait passer avec indifférence ; les Algériens avec méfiance, avec colère : les harkis, pour eux, c'étaient de vieilles connaissances.

Depuis 1955, les « auxiliaires » musulmans, engagés dans l'armée ou dans la police, s'illustrent en Algérie. Mercenaires au service de l'occupant, ils ratissent, ils violent, ils pillent, ils torturent et ils tuent. Impossible encore de faire l'inventaire de leurs crimes. Mais, déjà, beaucoup sont connus, tous impunis, et la liste s'allonge chaque jour. Deux exemples parmi d'autres. Une nuit de mars 1956, à Tébessa, des harkis forcent la porte d'un Algérien, Messaoudi Zazouia : ils viennent perquisitionner. Après avoir pillé et saccagé la maison, ils violent la fille de Messaoudi. Au matin, ce dernier va porter plainte auprès des autorités de la police française. Le soir même, Messaoudi Zazouia est retrouvé assassiné. Une information a été ouverte. L'affaire a été classée. Le 27 mai 1957, toujours à Tébessa, des policiers musulmans sont arrêtés : on les soupçonne d'avoir fourni des renseignements au FLN. Dix-huit d'entre eux sont retrouvés égorgés, dont Hachichi Cherif et

Hamed Chaouch. Un harki, Defdouche, s'est vanté d'en avoir égorgé huit à lui seul, sous la conduite et la responsabilité du capitaine Pierre.

Aucune sanction n'a jamais été prise contre les harkis ; leurs exactions, leurs assassinats sont toujours « couverts » par les autorités militaires ou policières françaises. Le procédé d'escamotage le plus couramment adopté consiste à attribuer au FLN les crimes qu'ils commettent.

Les harkis avaient donc fait leurs preuves en Algérie. Devenu préfet de police de Paris, M. Maurice Papon, qui avait pu apprécier sur place l'efficacité de leurs services, décida d'implanter en métropole une « force de police auxiliaire » musulmane. Il devait rappeler, le 18 mars 1961, devant le Conseil général de la Seine, les raisons de cette décision : « Pendant deux ans, explique-t-il, j'ai été inspecteur général de l'administration, en mission extraordinaire à Constantine, au cours des années 1956-1958. J'y ai appris à connaître les ressorts de la guerre subversive. Or l'un de ceux-ci est la clandestinité. À défaut de celle-ci, qu'il est impossible d'observer à fond dans un pays comme le nôtre, où toute action doit se terminer par la saisine de la justice, du moins estimai-je qu'il fallait entourer de quelque discrétion nos opérations. »

On a bien entendu : pour tenter de « casser » le FLN en métropole il faut organiser un circuit parallèle, une police clandestine. En marge de toute légalité, échappant à tout contrôle, les actions des supplétifs sont entourées en effet d'une « discrétion » absolue et elles ne se terminent que très exceptionnellement par cette conclusion que paraît redouter le préfet de police : une saisine de la justice. La justice se fait assez communément l'outil du pouvoir. N'empêche, mieux vaut s'en méfier. Pour entreprendre une répression vraiment efficace, ce qu'il faut, ce sont des hommes de main, des tueurs, sans visage et sans responsabilité, qui travaillent dans l'ombre. Cette clandestinité leur garantit l'impunité. Dans ces conditions, on a davantage le cœur à l'ouvrage.

Depuis le scandale de *La Gangrène*, depuis surtout le procès du commando de Larache[1], les policiers français, soucieux de ne pas compromettre leur carrière, préfèrent en effet ne pas se salir les mains. Rappelons brièvement les faits. Arrêtés en septembre 1958, treize membres de l'ALN furent « interrogés » en diverses villes de France par la DST. Au cours de cette garde à vue, l'un d'eux, Chaib, mourut à l'hôpital – suicidé.

Le procès du commando de Larache eut lieu à Paris, devant le tribunal militaire, du 8 au 16 avril 1960. Deux policiers avaient été convoqués. L'un, M. Sudreau, qui avait mené directement les interrogatoires, fut envoyé en mission par la DST peu de jours avant le procès. L'autre, le commissaire Chervallier, dut reconnaître, sous la foi du serment, que les accusés avaient été séquestrés pendant sept jours dans les locaux de la DST. Le commissaire Chervallier s'abritait, il est vrai, derrière les plus hautes responsabilités: M. Wybot, alors directeur de la Sécurité du territoire; M. Pelletier, alors ministre de l'Intérieur, M. Michel Debré, alors garde des Sceaux; et les magistrats instructeurs avaient été tenus au courant, ils étaient d'accord.

C'est d'ailleurs pour permettre de tels interrogatoires « poussés » que devait être prise l'ordonnance du 8 octobre 1958, permettant l'assignation à résidence dans les locaux de la police. L'ordonnance légalisait une pratique courante, mais jusque-là illégale. Désormais les policiers seraient couverts par la loi.

Mais les policiers français ont de la mémoire et une solide tradition. Ils se souviennent de certaine épuration qui suivit l'effondrement du régime vichyste. Demain, peut-être, ce sera la paix. Inutile donc de risquer sa carrière en prenant des risques inutiles. Les gifles, les coups de pied et les coups de poing, le classique passage à tabac, d'accord. Mais ce qu'on appelle à Alger les interrogatoires « poussés », non: que d'autres s'en

---

1. Le camp de Larache, au Maroc, est un camp d'entraînement de l'ALN, où sont formés certains commandos chargés d'opérations en France.

chargent. Les autres, ce seront précisément les harkis : la police française leur livrera les « suspects », les récupérera après « interrogatoire ». Elle veut ignorer ce qui se passe dans l'intervalle. Elle gardera la conscience tranquille et les mains pures.

« Tant vaut le chef, tant valent les cadres. »

M. PAPON.

Ainsi, c'est pour remédier à la « mollesse » de la police française qu'il fut décidé d'importer en France les méthodes de la « bataille d'Alger » et de la répression dans le Constantinois, en faisant appel aux « spécialistes ». Le principe de l'opération « Harki » fut arrêté dès février 1959, au cours d'un conseil interministériel sur l'Algérie, auquel M. Papon avait été appelé à participer. Faute de crédits, ce projet resta quelques mois dans un tiroir. On le ressortit en août 1959. Le préfet de police chargea alors plusieurs officiers du Service de coordination des affaires algériennes (SCAA) d'établir un plan de travail en vue de « greffer » dans les quartiers à forte densité algérienne une force de police autonome ayant toute liberté d'action pour démanteler les réseaux FLN.

Une équipe de militaires, les commandants Cunibille, Bedinger et Pilleau – anciens collaborateurs de M. Papon à Constantine –, se mit au travail sous la haute autorité du colonel Tercé, spécialiste aux Affaires algériennes, rue de Lille. Bientôt commencent le recrutement et l'instruction des harkis. La plupart viennent d'Algérie : indicateurs et mouchards trop repérés en Algérie, repris de justice sur le point d'être arrêtés ; de pauvres types aussi, des vagabonds.

Les « volontaires » souscrivent un engagement de six mois, renouvelable. Ils font un stage de huit jours au fort de Noisy-le-Sec, à Romainville : ils apprennent le maniement du pistolet et de la mitraillette, les utilisations diverses du tuyau d'arrosage et le fonctionnement du magnétophone – pour enregistrer les aveux éventuels, puisque la plupart ne savent ni lire ni écrire. Officiellement, les harkis sont payés comme les fonctionnaires de la police métropolitaine. En fait, leur chef leur fait verser des primes diverses, prime d'habillement (?), prime de risque, prime d'éloignement – au total 80000 à 100000 anciens francs par mois. Salaire considérable, comparé à celui d'un manœuvre nord-africain en France.

Les premiers harkis recrutés et entraînés sur l'initiative du préfet de police commencent à s'installer dans le XIIIe arrondissement le 20 mars 1960. Avec eux s'installe la terreur.

À la station de métro Italie, dans les cafés de la place, dans ceux du boulevard de la Gare, rue du Château-des-Rentiers, dans toutes les ruelles du quartier où les travailleurs algériens se retrouvent le soir, à la sortie de l'usine et du chantier, les « calots bleus » se mettent à passer au tamis tous les suspects.

C'est toujours le même scénario. Trois hommes encadrent l'Algérien. Le premier lui demande ses papiers, le deuxième le palpe de bas en haut, le fouille, retourne ses poches, le troisième le tient en joue avec sa mitraillette, tandis que le reste de la patrouille fait le guet.

Les Européens regardent avec un certain malaise.

Dans le quartier, pourtant, le climat change. En sortant de la pharmacie ou du bar-tabac, place d'Italie, D. croise Mohamed H., ouvrier comme lui aux usines Panhard, porte de Choisy. Ils n'échangent qu'un regard : mains en l'air, canon de mitraillette sur l'estomac, Mohamed subit la fouille brutale des harkis. Gêné, D. détourne les yeux. Les petits marchands de cacahuètes ont disparu aux abords des squares et aux coins des rues ; disparu aussi le vieil Arabe qui proposait à la convoitise des enfants des moulins de celluloïd et des oiseaux aux plumages multicolores.

Dans les boutiques, au café, dans les ateliers, on commence à parler des harkis. Des jeunes filles, des jeunes femmes n'osent plus rentrer chez elles le soir. Au cours d'une vérification d'identité, des Algériens se sont vu confisquer leur portefeuille. Certains, qui habitent des hôtels partiellement réquisitionnés par les harkis, ne reçoivent plus leur courrier. Les commerçants algériens subissent menace et chantage de la part des harkis qui veulent les convaincre de « coopérer » à la chasse aux militants du FLN. Des habitants du quartier s'inquiètent des hurlements de douleur qui viennent des hôtels occupés par la « force de police auxiliaire ».

Les supplétifs, en effet, ne sont pas logés dans les casernes ou les commissariats : ils réquisitionnent les hôtels habités par des Algériens en chassant les locataires. L'un d'eux raconte : « Une nuit, ils sont arrivés. La porte sur la rue, celles des chambres, ça s'est ouvert, à coups de pied, à coups de crosse. Un ordre. Tout le monde descend. Allez-y. Les valises, les gosses… Toute la *rhaima* sur le trottoir, à cinq heures du matin… Partout c'est comme ça, rue Harvey, rue du Château-des-Rentiers, dans toute la rue, et boulevard de la Gare… Ils habitent là, et puis on vous y conduit un soir, un petit voyage en bas, dans le sous-sol… Dix ans que je travaille à Paris. Maintenant c'est la fin. Ça va mal tourner[1]. » Un hôtelier a osé protester contre les méthodes de réquisition des harkis : il s'est retrouvé dans un camp de regroupement. On avait trouvé chez lui l'arme nécessaire à justifier son internement.

Perquisitions, fouilles, enlèvements, brutalités se multiplient. Un climat de peur pèse sur toute la population algérienne. Les « Français de France » ne se sentent pas davantage en sécurité. Les agents de la police auxiliaire sont nerveux, ils ont la gâchette facile… Une rafale de mitraillette a été tirée rue Harvey, contre les locataires d'un immeuble qui protestaient contre le tapage nocturne des supplétifs logés à proximité. Un camion qui passait devant un poste de police a été mitraillé parce que son moteur faisait des « ratés » et que le policier a eu peur. Les parents tremblent à la pensée des postes de police supplétive installés à proximité des écoles et des lycées. Un soir, un jeune homme rentrant chez lui, boulevard Blanqui, est interpellé

1. *France-Observateur*, 5 mai 1960.

par des harkis. Il plonge la main dans la poche de sa veste pour y chercher sa carte d'identité. Affolé, un harki décharge son pistolet sur le jeune garçon qui est blessé à la jambe. Sans doute, ce ne sont là que des incidents « mineurs ». Mais on commence à en parler. On parle aussi de faits plus graves. Des conseillers municipaux, des prêtres, des pasteurs, des responsables syndicaux recueillent les confidences d'hommes et de femmes inquiets ou terrorisés.

L'une d'elles, une Française mariée à un jeune Algérien, raconte comment des harkis l'ont violée, une nuit, chez elle, après avoir fait sortir son mari sous la menace de leurs armes. Elle ajoute : « Mon mari ne veut pas que je porte plainte, par peur des représailles. Quand les harkis sont saouls, ils menacent tout le monde. Actuellement on est forcé de quitter le treizième pour vivre la nuit. »

Comme cette jeune femme, les autres victimes des harkis se taisent, par peur. Le scandale éclate pourtant, le 29 avril quand, dans une question écrite à M. Papon, préfet de police, M. Claude Bourdet, conseiller municipal du secteur, s'étonne de voir ces policiers installés dans des chambres d'hôtels du XIIIe et demande à quelles fins sont aménagées et utilisées certaines caves de ces hôtels. « La police supplétive a-t-elle dans ses attributions la détention de suspects et leur interrogatoire, le cas échéant, sur place ? » demande encore Claude Bourdet.

Le même jour, plusieurs personnalités du XIIIe arrondissement – des prêtres, des pasteurs, des militants syndicaux CGT et CFTC, des militants du PC et du PSU, des membres du Mouvement de la paix – convoquent les journalistes pour leur communiquer les témoignages qu'elles ont recueillis. En particulier, une jeune femme affirme qu'elle a entendu des hurlements provenant de la cave située sous le café occupé par les harkis, à côté de chez elle. Plusieurs voisins confirment son témoignage. À l'issue de cette réunion, les personnalités présentes ont publié un communiqué au nom du Collectif d'action du XIIIe pour la paix négociée en Algérie. Ce communiqué déclare : « Depuis l'installation de ces supplétifs, de nombreux témoignages de personnes vivant aux alentours ont été recueillis. Il en ressort que des interrogatoires violents, des voies de fait, des exactions et même des tortures auraient eu lieu dans les caves et les locaux occupés par ces policiers... »

Quatre jours plus tard, un communiqué de la Préfecture de police dément en bloc tous les faits évoqués par le Comité d'action du XIIIe et le ministre de l'Intérieur précise dans un second communiqué: « La FPA a pour mission d'aider la police municipale dans sa tâche de protection des travailleurs nord-africains; elle se borne, lorsqu'elle est amenée à appréhender des suspects ou des délinquants, à les mettre aux mains des services de police compétents qui, seuls, procèdent aux interrogatoires suivant les procédures fixées par les textes en vigueur. »

Le Comité d'action du XIIIe réplique aussitôt en convoquant une seconde fois la presse et en invitant les journalistes à visiter l'un des hôtels occupés par les harkis, 9, rue Harvey. La délégation est reçue par un officier métropolitain en civil qui refuse naturellement de laisser visiter la cave de l'hôtel. En revanche, l'officier fait monter dans la salle qui lui sert de bureau des Algériens détenus, pour que les journalistes puissent « leur demander ce qu'on leur avait fait ». Un des assistants doit demander à l'officier de « faire cesser cette mascarade »...

Cette étrange conférence de presse fit un certain bruit. *L'Humanité* et *Libération, Le Monde, La Croix, Tribune socialiste, France-Soir* en ont rendu compte. La presse de droite se tait. Quant aux élus UNR du XIIIe, ils volent au secours des supplétifs avec une ardeur un peu brouillonne. Ils déclarent, dans un communiqué, « n'être au courant de rien », ce qui ne les empêche pas de déclarer ensuite: « Grâce à l'action de cette force de police auxiliaire, la collecte du FLN n'a donné aucun résultat le mois dernier. » (L'UNR aurait-elle accès à la comptabilité du FLN ?) Rappelant enfin que la police parisienne avait relâché, faute de preuves, des Algériens dont l'un devait attaquer le sénateur Benhabylès et l'autre le gardien Mignot, les élus UNR concluent: « Si l'interrogatoire avait pu être mené avec l'aide de la force de police auxiliaire, il eût sans doute été possible de découvrir les attaches profondes de ces Nord-Africains avec le FLN. »

C'est confirmer, évidemment, que la police supplétive emploie des « moyens exceptionnels » quand elle veut obtenir des aveux.

Là n'est pas le scandale, explique M. Papon le 20 mai. Ce qui est scandaleux, sinon criminel, c'est de dénoncer les violences et les sévices pratiqués par les policiers algériens. « La population tant musulmane qu'européenne de ces quartiers [le XIIIe arrondissement] ne cache pas sa satisfaction de se savoir protégée. Le préfet de police donne l'assurance formelle que cette action [celle des harkis] se poursuivra sans faiblesse... » Telle est la réponse de M. Papon aux Français qui demandent: est-il vrai que des hommes disparaissent chaque jour à Paris? Que se passe-t-il dans les hôtels occupés par les supplétifs musulmans?

> « Notre époque assiste aux premières expérimentations de détermination des hommes. »
>
> M. PAPON.

M. Papon a tenu sa promesse. Les harkis poursuivent, en effet, dans les rues, dans les hôtels et dans les caves, leur action « protectrice », et protégée. Clandestins, irresponsables, ils n'ont pas de comptes à rendre sur leurs méthodes: une seule chose importe, l'efficacité. On ne leur a donné qu'une seule consigne: essayer de démanteler, par tous les moyens, la structure du FLN à Paris.

135 000 Algériens, environ, vivent dans la région parisienne. Autant de suspects à passer au peigne fin des interrogatoires. Au hasard d'une rafle, d'une perquisition dans les chambres d'hôtel où l'on s'entasse à dix ou douze, dans un gourbi de quelque bidonville de banlieue, des « suspects » sont arrêtés et emmenés dans un hôtel occupé par la police auxiliaire. Là, l'interrogatoire

commence. Il peut durer deux jours ou deux semaines. Quelques Algériens, très rares, en ressortent libres: ils sont généralement en si mauvais état qu'on les dirige habituellement sur le Dépôt ou dans un centre, en attendant que leurs blessures soient cicatrisées. La plupart sont ensuite assignés à résidence, par simple décision administrative du préfet de police. Ils resteront des mois ou des années dans un camp sans être inculpés, sans savoir ce qu'on leur reproche. Après une arrestation illégale, une détention illégale, des « interrogatoires illégaux », il est en effet difficile de présenter ces hommes à un juge. Alors on les cache. D'autres, enfin, ont disparu. On ne retrouvera jamais leurs traces. Trop grièvement blessés par les tortures, ils ont été achevés. Leurs cadavres, on s'en débarrasse dans la Seine ou dans un terrain vague. La police française conclura son enquête: règlement de comptes entre Nord-Africains.

Ceux qui en sont sortis se taisent. En les relâchant, les harkis leur ont dit: « Si tu parles, on te fera la peau. » Ils craignent les représailles contre eux, contre leurs familles. De toute manière, à qui s'adresser? Les Algériens savent que toute plainte entraîne le châtiment de la victime.

Des bornes à ne pas franchir

Les harkis poursuivent donc, en toute tranquillité, leur mission. Les seules poursuites engagées contre eux l'ont été quand ils se sont attaqués à des Français. L'incident le plus sérieux fut sans doute celui de la rue François-Miron.

Le 17 juillet 1960, deux policiers auxiliaires en uniforme ont fait irruption dans un café fréquenté par des israélites, 11, rue François-Miron (IVe). Hurlant des injures: « À mort sales juifs! », les deux harkis se mirent à frapper les clients à coups de crosse de pistolet pour les obliger à entrer dans l'arrière-salle du café. L'un des policiers voulut entraîner aussi M. Nabets, le patron de l'établissement. M. Nabets est infirme: il ne pouvait bouger. Le policier le frappa à coups de crosse, derrière la tête.

Un consommateur, M. Émile Dana, voulut s'interposer. Le harki fit feu. M. Dana s'écroula, gravement blessé au ventre. Les deux policiers algériens prirent aussitôt la fuite, sautèrent dans un taxi. Les deux supplétifs, Chebab Slimane et Barkat, finirent par être arrêtés par des gardiens de la paix.

Au commissariat de police de la rue François-Miron comme au cabinet du préfet de police, on tenta de faire le black-out sur cette affaire. Mais toute la presse en parlait.

Harcelés, les services de la Préfecture de police mirent au point une version officielle: la « descente » des harkis dans le café de la rue François-Miron était une opération montée pour démasquer des trafiquants de drogue qui fréquentaient l'établissement.

Mais aucune suite n'a été donnée à cette histoire de trafic de drogue. De toute manière, il resterait à expliquer la participation des harkis à une affaire qui n'est pas de leur ressort. Il resterait aussi à justifier leur comportement...

En réalité, il ressort de leurs propres déclarations que les deux harkis Chebab et Barkat (de service, ce jour-là, sous les ordres du brigadier Ben Bennou) avaient organisé, de leur seule initiative, une expédition pour se procurer du kif. Ce n'était pas la première fois. Mais jusque-là ils n'avaient jamais été poursuivis: ils ne s'étaient attaqués qu'à des Algériens. Ils n'avaient pas imaginé qu'on pût leur demander des comptes.

Cette fois, pourtant, M. Papon jugea l'affaire si grave qu'il ordonna immédiatement une enquête administrative et suspendit de leurs fonctions les deux policiers, qui furent déférés au Parquet, inculpés d'homicide volontaire et écroués à Fresnes. Quant au brigadier Ben Bennou, qui avait dirigé l'opération, mais n'était pas directement intervenu, il fut renvoyé en Algérie, et affecté à la DST d'Oran.

L'étonnement de Barkat et de Chebab de se voir sanctionnés était, cependant, justifié. Ils avaient matraqué, souvent, bien d'autres personnes sans histoires. Des « visites » comme celle du 17 juillet, les harkis en font tous les jours. Alors?

Barkat, questionné, s'indigna: « Il y a environ vingt jours, un policier de chez nous, un membre de la police auxiliaire, m'a raconté que dans le XIIIe arrondissement, place d'Italie, il avait tiré sur un Nord-Africain et l'avait tué: il m'a expliqué qu'il lui avait tiré une balle dans la gorge. Il m'a dit qu'aucune sanction n'a été prise contre lui. Lorsqu'il m'a raconté cela, deux ou trois jours s'étaient écoulés depuis ces faits. Je me demande pourquoi lui n'est pas en prison et moi j'y suis. »

Interrogé, le brigadier Ben Bennou déclara pour sa part: « Je l'ai déjà dit: je me rendais dans le quartier de Saint-Paul pour la première fois. J'ai suivi les gardiens Barkat et Chebab qui m'avaient déclaré devoir y trouver du kif, et ce pour en déterminer la provenance. Sachant que ces deux hommes profitaient de leur repos pour se rendre avec leur ancien brigadier – El Hiet renvoyé pour ce motif – à la recherche de kif, je décidai de suivre les nommés Chebab et Barkat. Mais vers 14 h 10, ce sont eux qui sont venus me chercher pour me proposer: viens avec nous, on va boire et fumer du kif. »

Mais Barkat protesta: « Le brigadier Ben Bennou ne dit pas la vérité: il est déjà venu dans ce café avec un autre brigadier, la semaine dernière, ils ont rapporté deux bouteilles. Le 17, il nous a proposé d'en faire autant avec nous. »

Chebab lui aussi contesta la déposition de Ben Bennou. Il déclara: « Ben Bennou fumait du kif avec un autre brigadier, El Hiet. Je peux vous dire que Ben Bennou était déjà allé à Saint-Paul avec un autre policier algérien, ils avaient ramené du vin que nous avons bu au poste. Puisque mes collègues ne veulent pas dire la vérité, vous n'avez qu'à marquer que nous étions d'accord tous les trois pour aller au kif. »

La loi du milieu

Les harkis ont reçu officiellement mission de « protéger contre les racketteurs et les tueurs du FLN les travailleurs algériens » de la région parisienne. Mais tout contact personnel leur est interdit avec leurs compatriotes. En service ou en permission, le supplétif musulman n'a pas le droit de sortir seul dans Paris. Cela, afin d'éviter que certains d'entre eux – ceux surtout que ne lie pas un casier judiciaire chargé – soient amenés à discuter en privé avec d'autres Algériens et se laissent convaincre de changer de camp.

Au risque de leur vie, d'ailleurs. Car la police auxiliaire est un gang. La loi du milieu y règne. Celui qui « trahit » est abattu.

Ainsi s'explique l'assassinat du harki Rachid Khilou, tué le 20 octobre 1960 par une piqûre empoisonnée, à Valence, en pleine rue, par trois individus qui ne furent jamais identifiés. « Mystérieuse affaire », écrivit la presse. Le 25 octobre, pourtant, *Paris-Presse* affirmait pouvoir « révéler le secret » de cette mort tragique. Le quotidien parisien ne « révélait », en fait, que la version de la police, affirmant : « Le supplétif Rachid Khilou a été exécuté par le FLN. »

Les déclarations faites quelques semaines plus tard par un autre harki permettent d'affirmer au contraire que Rachid Khilou a été abattu au moment où il allait rallier le FLN.

Le 14 octobre, le lieutenant Sebbaha, dit Michel Alain, était interpellé alors qu'il sortait d'un café en compagnie d'un autre Algérien. Interrogé, il expliqua qu'il avait eu des contacts avec cet Algérien, membre du FLN, sur ordre de ses supérieurs : en feignant de donner des renseignements au Front, il avait efficacement servi les services de police français. Mais, ajoutait Sebbaha, un autre supplétif avait, lui, réellement accepté de rendre des services au FLN : il s'agissait d'un certain Bouri Khilou. Ce dernier fut rapidement identifié : c'était Rachid Khilou. Six jours plus tard, il était assassiné à Valence.

Pure coïncidence ? La Préfecture de police a affirmé, depuis, qu'il n'y avait aucun lien entre ces deux affaires ; et le lieutenant Sebbaha a perdu la mémoire…

Débarrassés de leur « traître », les harkis de Valence poursuivent activement leur mission « pacificatrice » sous la haute direction du préfet de la Drôme M. Ghisolfi – un précurseur. Trois ans avant M. Papon, le préfet de la Drôme, ancien administrateur en Algérie, avait constitué (en 1957) une force de police auxiliaire musulmane : une douzaine de harkis en civil. Leur chef, Tébessi Mennour, est un officier de police détaché aux Affaires algériennes, à la Préfecture. Ben Troudi Hamid, assisté de deux agents de renseignement, l'un Khadir Hamed, l'autre surnommé Tarzan, dirige les opérations. Ce petit commando terrorise les Algériens du département et les torture en musique, dans la salle de cinéma située au rez-de-chaussée du foyer nord-africain de Valence : un modèle d'œuvre sociale, ce centre, créé par le préfet Ghisolfi qui s'y connaît en « action psychologique ».

Quant à ceux qui ne résistent pas à l'action « physique » des harkis de Valence, les eaux du Rhône emportent leurs cadavres.

À Paris, cependant, le recrutement s'accélère. On engage n'importe qui : tout ce qui se présente – la meilleure recommandation restant un casier judiciaire bien rempli. Huit jours de maniement d'armes, et on se met au « travail ». En mars 1960, ils étaient une cinquantaine. À l'automne, ils sont près de 600. Le préfet de police a désormais les moyens de tenir sa promesse d'étendre la zone d'action des harkis. Ceux-ci réquisitionnent trois hôtels dans le XVIIIe arrondissement, 25, 28, 29, rue de la Goutte-d'Or, et installent leur PC au café *Chez Ferhat*... Ils sont commandés par un Français, le capitaine Montaner, assisté de deux lieutenants: Derogeot, un Français, et Niboucha, un Algérien.

Aussitôt, les rafles se multiplient. En passant au tamis tout le « ghetto » algérien de Paris, c'est bien le diable si on ne tombe pas sur un collecteur de fonds ou sur un responsable du FLN ! Tient-on un « suspect », il faut qu'il parle, qu'il donne un nom, n'importe lequel. Alors on lui fait subir tous les degrés de la torture, du passage à tabac à la bouteille dans l'anus, en passant par l'eau de Javel et le tourniquet. À bout, certains se suicident; d'autres meurent sous la torture. D'autres lâchent un nom. Un autre homme, à son tour, passera dans la cave.

S'ils en sortent, ils sont transférés dans un centre de tri ou au Dépôt, en attendant que les traces des sévices aient disparu. Ils y sont au secret. Aucune visite n'est autorisée; ils n'ont droit ni à l'assistance d'un avocat ni à celle d'un médecin; ils ne peuvent pas communiquer avec leurs familles. Aucun juge n'est chargé d'instruire l'affaire. Ils ne sont pas inculpés : ni innocents ni coupables, ils ne sont plus rien. Des hommes brusquement retranchés du monde, arrachés à leur vie, gommés. Ils n'auront même pas la chance de pouvoir se faire entendre, de pouvoir se justifier au cours d'un procès. Le système parajudiciaire est maintenant bien rodé : il fonctionne depuis un an, presque sans grincement.

M. Patin n'y est pour rien

Jusqu'au jour où l'impossible arrive. Paradoxalement, c'est un homme déclaré coupable, un condamné du procès Jeanson, détenu à Fresnes, Ould Younès Slimane, qui va briser le mur de silence derrière lequel souffrent et meurent des centaines d'hommes. Ould Younès a eu de la chance : il a été régulièrement jugé ; il est en prison, mais il existe. Il peut se faire entendre. De sa cellule, il apprend que son frère Amar a disparu à la fin janvier. Une perquisition a eu lieu le 26 janvier dans l'hôtel où il habitait, 31, rue des Poissonniers, dans le XVIIIe. Amar y assistait. Depuis ce jour, personne ne l'a revu. Ould Younès Slimane alerte son avocate. En son nom, celle-ci dépose, le 4 février, une plainte en séquestration arbitraire entre les mains du procureur de la République. Elle avertit également de cette disparition la Croix-Rouge internationale et la Commission de sauvegarde des droits et libertés individuels. Le 8 février, M. Patin, président de cette commission, répond à Ould Younès Slimane ce qu'il répond toujours : « Je vais m'informer. »

Le 15 février, sans que M. Patin y ait la moindre part, Ould Younès Slimane apprend que son frère Amar, arrêté par les harkis, a été sauvagement torturé avant d'être interné au centre de triage de Vincennes. Il dépose aussitôt une seconde plainte, en coups et blessures volontaires, avec constitution de partie civile.

La plainte déposée par un avocat est parfaitement légale. Le juge d'instruction est obligé d'intervenir. Ould Younès Amar est extrait du centre de Vincennes, où il avait été assigné à résidence, pour être présenté au juge Braunschweig.

Devant le juge et en présence de son avocat, Ould Younès Amar déclare, le 21 février 1961 :

> ... J'ai été arrêté le 21 janvier vers 20 h 15, alors que je passais dans la rue Ordener près de Marx-Dormoy. J'ai été arrêté par des harkis qui m'ont emmené tout de suite au poste de la rue de la Goutte-d'Or.
> Le soir même je n'ai pas été interrogé et on m'a fait coucher à la cave.
> Le lendemain, pendant toute la journée, je n'ai pas non plus été interrogé et je suis resté dans la cave. Vers 23 heures on m'a fait monter au bureau et là j'ai été interrogé par deux harkis et un sous-lieutenant. Ils m'ont reproché de faire partie de l'organisation du FLN et ils m'ont dit que j'avais été dénoncé par un camarade. J'ai répondu que ce n'était pas vrai. J'ai été questionné pendant environ un quart d'heure et comme je disais toujours que je ne faisais pas partie du FLN, on m'a fait redescendre à la cave.
> C'est alors que j'ai été torturé par quatre harkis. Ils ont commencé par me frapper à coups de poing et à coups de pied sur la poitrine et dans le dos. Ensuite ils m'ont lié une ficelle au cou pour me pendre. Ils ont tiré sur la ficelle mais ils ne l'ont pas attachée à quelque chose. C'était uniquement pour me faire peur et ils ont enlevé la ficelle. Après, l'un des harkis m'a mis un revolver sur la tempe et m'a dit « tu parles ou je vais te descendre ». J'ai continué à dire que je ne connaissais rien, l'homme a retiré son revolver. Ensuite, ils m'ont lié les mains et ils me les ont passées sous un bâton qu'ils avaient mis sous mes genoux. Ils m'ont laissé assis dans cette position et ils m'ont alors mis sur la bouche un chiffon qui contenait de l'eau de Javel. À travers le chiffon ils m'ont versé de l'eau dans la bouche. Ils se servaient d'une bouteille et ils m'ont bien fait boire un litre et demi d'eau. À cause de l'eau de Javel la gorge me brûlait et j'étais asphyxié. Je précise qu'ils ne m'ont pas versé le litre et demi d'eau en une seule fois. Ils l'ont fait en deux fois et entre les deux séances ils m'ont de nouveau interrogé. Après avoir fini avec l'eau, ils m'ont laissé tranquille. Tout cela avait bien duré environ une heure et demie. J'ai été laissé dans la cave, j'ai dormi à même le sol. Il y avait deux autres hommes avec moi qui ont été torturés, mais pas devant moi. Quand ils torturent quelqu'un, ils emmènent les autres ailleurs. Le lendemain après-midi,

vers 17 heures, j'ai été de nouveau emmené au bureau où j'ai été interrogé par deux harkis, un sous-lieutenant et un lieutenant. Mon interrogatoire a duré dix minutes environ et j'ai été frappé, mais uniquement à coups de poing parce qu'il y avait les officiers. J'ai ensuite été emmené dans la cave.
Je n'ai plus été torturé, mais j'ai encore été interrogé deux fois au cours des jours suivants. Au cours de ces deux derniers interrogatoires je n'ai pas été frappé mais j'ai été menacé. Les harkis me disaient qu'ils allaient me torturer de nouveau. J'ai toujours nié que je faisais partie du FLN et ils m'ont laissé tranquille ensuite.
Je suis resté douze jours dans ce poste. J'étais tout le temps dans la cave et c'est là que je dormais. Mais parfois les harkis me faisaient monter pour faire des corvées.
Pendant la première semaine je couchais par terre. Il y avait tantôt deux, tantôt trois ou quatre hommes avec moi. Un soir, au bout d'une semaine, un homme âgé de trente-cinq ans environ a été mis avec moi. Il m'a dit qu'il avait été torturé mais qu'il ne voulait pas parler et qu'il préférait se tuer. Devant moi il a tenté de s'étrangler avec son foulard, il a serré mais il n'a pas réussi car je l'ai empêché de faire cela. Une demi-heure plus tard environ il est allé dans une autre partie de la cave et il a essayé de se suicider à nouveau en accrochant son foulard à un sommier qui était debout contre un mur. Je m'en suis rendu compte et je l'ai encore empêché de se tuer. Vers 23 h 30 environ il a demandé à aller aux WC et un harki l'a fait monter. Il n'est pas revenu. Et le lendemain, pendant que je faisais une corvée, un harki m'a dit que cet homme s'était suicidé en se pendant à la chasse d'eau des WC. Je dois d'ailleurs dire que dans la nuit même j'avais su qu'il s'était tué, par un camarade qui avait fait la vaisselle et qui avait entendu les harkis au moment où ils avaient découvert le corps. J'ignore le nom de cet homme qui s'est tué car il m'avait simplement dit qu'il était de Pantin et qu'il n'avait pas de famille. J'ai simplement constaté qu'il était kabyle comme moi.
Le camarade qui a fait la corvée de vaisselle et qui a su que cet homme s'était tué est surnommé « le Chinois », il habite 85, rue Marcadet. J'ai entendu dire qu'il était en ce moment au Dépôt.

Répondant à diverses questions du juge Braunschweig, Ould Younès Amar est amené à préciser :

1) Pendant les jours qui ont suivi la mort de cet homme nous avons couché sur des matelas. C'est le 2 février que j'ai été envoyé au centre de Vincennes.
Pendant quelque temps j'ai eu des traces des coups que j'avais reçus. J'avais notamment des traces dans le dos et sur le côté gauche. Il s'agissait des coups de cravache que j'avais reçus. À l'heure actuelle, je ne porte plus de traces, mais j'ai encore mal à la gorge quand j'avale. À certains moments j'ai également des douleurs d'estomac et sur le cou.
2) Lorsque je suis arrivé au centre de Vincennes, je suis passé devant un médecin qui m'a simplement demandé si j'avais encore mal. Je lui ai répondu que ça allait mieux et il ne m'a pas examiné. Je crois qu'à ce moment-là j'avais encore quelques traces, mais le médecin ne m'a pas fait déshabiller.
3) Quand j'étais chez les harkis, on me donnait à manger. Nous avions la même nourriture qu'eux, mais les deux premiers jours je n'ai pas pu manger parce que j'avais mal à la gorge à cause de l'eau de Javel. Je veux parler des deux premiers jours qui ont suivi les tortures.
4) J'affirme que je ne fais pas partie du FLN. Je cotise, mais je n'ai jamais eu aucune responsabilité. Cependant, après la torture, j'ai fini par dire aux harkis que j'étais un chef de secteur.
On ne m'a jamais fait signer de déclaration.
5) Je n'ai été interrogé que par les harkis ou par leurs officiers. Je précise que ceux-ci étaient en civil, mais je connaissais leur grade car les harkis les appelaient en leur donnant leur grade.

Entendu une seconde fois par le juge d'instruction, le 22 février, Ould Younès Amar donne de nouveaux détails :

... Il m'est possible de vous décrire les harkis qui m'ont torturé. Ils sont au nombre de quatre.
Le premier a le grade de brigadier. Il doit être âgé de vingt-six ou vingt-sept ans. Il n'est pas très grand et il est de corpulence assez forte. Sa figure est large et rouge. Il est kabyle et parle bien le français.
Le deuxième est assez grand. Il est âgé de vingt-trois ans environ. Il est assez brun de peau et il a les yeux noirs. Il est de corpulence moyenne. Il est arabe. Je ne sais pas s'il parle français car il n'a pas parlé français devant moi.

Le troisième est petit et râblé. Il et âgé de vingt-quatre ans environ. Il est noir de visage et ses cheveux sont noirs. Lui aussi est arabe et je ne sais pas non plus comment il parle le français.
Le quatrième est âgé de vingt-quatre ans environ. Il est de taille moyenne et il est mince de corps. Son visage est blanc. Il est plutôt allongé mais cependant pas maigre. Il porte des lunettes à verres blancs. Je pense qu'il est kabyle, mais cependant je ne peux pas l'affirmer car devant moi il a parlé soit arabe soit français.
D'après les conversations que j'ai eues avec des camarades, j'ai l'impression que ce sont toujours les mêmes harkis qui torturent.

Ould Younès Amar décrit ainsi le poste de harkis :

Installé dans un ancien hôtel, 28, rue de la Goutte-d'Or ; on entre dans la maison par un couloir. Tout de suite à droite, il y a la salle du café et c'est dans cette salle que se tiennent les harkis pendant la journée. Un peu plus loin à gauche dans le couloir il y a les WC et au fond du couloir il y a le bureau des officiers. Il y a deux bureaux, un à droite, un à gauche. C'est dans celui de gauche que j'ai été interrogé.
L'entrée de la cave se trouve dans la salle de café. Il y a une trappe près du comptoir et on descend une dizaine de marches. L'escalier en bas débouche sur un petit couloir qui donne dans une grande cave. De cette grande cave, on peut passer dans une cave moyenne et, au fond de celle-ci, on accède à une plus petite cave. Il n'y a pas de porte entre les trois caves.
C'est dans la grande cave que je couchais. Dans la cave moyenne, il y a du bois et du matériel tel que des vieilles portes. C'est dans la petite cave que se font les tortures.
Il n'y a pas de meuble dans cette petite cave. Quand on m'a fait asseoir, c'était sur une vieille porte posée sur le sol. Contre un mur de cette petite cave il y a des bouteilles vides rangées.
Il y a l'électricité dans la cave. Chaque cave est éclairée par une ampoule qui reste d'ailleurs toujours allumée, même la nuit.

Ould Younès Amar cite alors le nom de deux autres Algériens qui ont été torturés dans la cave de la rue de la Goutte-d'Or et qui ont été témoins des brutalités qu'il a subies : Hocine,

8, rue de la Charbonnière, et Amirat Slimane, tous les deux internés au centre de Vincennes :

> En dehors de l'homme surnommé « le Chinois[1] » dont je vous ai parlé, il y a un autre homme qui était avec moi lorsqu'un homme s'est suicidé dans les WC. Cet homme sait également que j'ai été torturé. Il a vingt-deux ans environ, il se prénomme Hocine et habite 8, rue Charbonnière. Il est en ce moment au centre de Vincennes.
> Actuellement il y a à Vincennes un autre garçon qui a été torturé par les harkis de la rue de la Goutte-d'Or. Il s'appelle Amirat Slimane. Il est arrivé chez les harkis cinq ou six jours après moi et il a dû rester là-bas également douze jours. Il porte encore des traces aux deux jambes.

Le 21 février, c'est-à-dire un mois après les tortures, l'expertise médicale effectuée par les Drs Raymond Martin et Jacques Lecœur, commis par le juge Braunschweig pour examiner Ould Younès Amar, conclut :

> 1) Ould Younès présente :
> – des signes de séquelles de contusion de la base thoracique gauche au niveau des 9e et 10e côtes gauches sans signes de fracture de côte ;
> – des signes résiduels de contusion de la colonne cervicale.
> De plus, Ould Younès présente une rougeur diffuse du pharynx qui peut être à l'origine des brûlures de la gorge dont celui-ci se plaint, invoquant de plus des brûlures œsophagiennes qu'il rattache à l'ingestion forcée d'eau additionnée d'eau de Javel.
> 2) Étant donné que notre examen a été tardif, un mois après les faits allégués, il nous est impossible de dire si les blessures ont entraîné une incapacité totale temporaire. Il n'y a pas lieu quant à présent d'envisager une incapacité partielle permanente, les blessures devant guérir sans séquelles dans un délai de quelques semaines.

---

1. Le Chinois, surnom donné à Mechtaoui Akli, dont on lira plus loin le témoignage.

3) Rien dans l'examen ne permet d'affirmer que les lésions constatées, qui sont de nature traumatique, sont la conséquence de lésions de violences, mais rien non plus ne permet d'infirmer les allégations d'Ould Younès.

Dans cette affaire comme dans les autres, nous le verrons, le rôle de M. Patin a été strictement lénifiant. Une distribution de paroles rassurantes: « Je m'en occupe. Je vous tiendrai au courant. »

Le 22 février, renversant les rôles, Ould Younès Slimane écrit à M. Patin, *pour l'informer* :

> Monsieur le Président,
> Cette lettre est la dernière que je vous adresse.
> Le 31 janvier 1961, je vous adressai une lettre dans laquelle je vous signalais la disparition de mon frère M. Amar Ould Younès. J'avais la naïveté de penser que vous le feriez rechercher. Le 4 et le 7 février, maître Radziewsky vous adressait deux télégrammes à ce sujet. Le 8 février vous me répondiez et vous répondiez à mon avocat que vous alliez vous renseigner immédiatement au sujet des faits signalés. Or, jusqu'à cette date, nous n'avons reçu aucune autre nouvelle de vous.
> Mon frère a été retrouvé. Puisque vous n'avez jusqu'à ce jour pas réussi à vous renseigner, permettez-moi de vous apprendre que mon frère est au centre de triage de Vincennes.
> Arrêté le 21 janvier par les harkis du XVIIIe arrondissement, il est resté dans les locaux jusqu'au 2 février et a été sauvagement torturé, coups de cravache, tentative de strangulation, supplice de l'eau avec eau de Javel.
> Un compatriote qui subit le même sort s'est pendu dans les locaux des harkis pour abréger ses souffrances. Vous êtes responsable de ces faits puisque vous n'avez rien fait, alors que je vous signalais la disparition de mon frère.
> Je vous écris cette lettre pour vous demander de ne plus vous occuper de cette affaire, car j'ai constaté que vous n'êtes que l'alibi du gouvernement et le complice des tortionnaires.
> Je vous prie d'agréer, Monsieur le Président, etc.

Monsieur Patin répond, le 25 février:

Le Président de la Commission de sauvegarde
à
Monsieur Ould Younès Slimane
33/46/2/233
Prison de Fresnes

Monsieur,
En réponse à votre lettre du 23 février 1961, je vous informe que, contrairement à vos allégations, la situation de votre frère n'a jamais cessé de préoccuper la Commission de sauvegarde.
Ce n'est nullement par vous que je sais qu'il a été retenu au centre de Vincennes, avant d'être interné au camp de Larzac.
Quant aux violences qu'il aurait subies, et qui sont déniées par les autorités de police, le juge d'instruction chargé de l'affaire fera la lumière, et j'y veillerai.
Je ne suis ni l'alibi du gouvernement, ni le complice d'aucun tortionnaire, et les nombreux remerciements que je reçois de tous ceux de vos compatriotes que j'ai protégés me permettent de dédaigner vos insultes et vos insolences.
Recevez, je vous prie, mes salutations.

Remarquons seulement que M. Patin est bien mal informé : Amar Ould Younès n'a jamais été au camp de Larzac.

Mais la brèche ouverte par Ould Younès dans le mur du silence s'élargit. Des Algériens arrêtés, torturés puis relâchés vont voir des avocats, des journalistes, et leur disent ce qu'ils ont subi. Tous ces hommes humiliés, molestés, suppliciés, réduits un moment au silence par la terreur, reprennent espoir : ils vont pouvoir rentrer dans leur vie, ils vont pouvoir se faire entendre. Chaque jour, de nouvelles plaintes arrivent sur le bureau des avocats. Des informations sont ouvertes, des juges saisis : MM. Braunschweig et Perez. Des médecins sont chargés d'examiner les plaignants – souvent un mois ou davantage après les sévices ; néanmoins, les rapports d'expertise sont tous positifs.

★

On vient de le voir, Amar Ould Younès a donné les noms d'autres Algériens torturés en même temps que lui. Extraits du Dépôt, ils sont entendus à leur tour par le juge d'instruction Braunschweig: l'un d'eux, Aït Tayeb Mohand, déclare le 1er mars 1961:

> ... J'ai été arrêté le 29 janvier 1961 par la police municipale de Montreuil et j'ai été emmené au poste des supplétifs, 28, rue de la Goutte-d'Or. Je suis resté dans ce poste jusqu'au 3 février, date à laquelle j'ai été emmené au Dépôt, où je me trouve encore.
> J'ai fait la connaissance d'Ould Younès Amar chez les harkis.
> Je sais qu'Ould Younès a été torturé chez les harkis, il a subi le même sort que moi, mais je n'ai pas assisté à ses tortures car je suis arrivé quelques jours après lui.
> Quand je suis arrivé, je l'ai trouvé dans un état lamentable et j'ai su ainsi ce qu'on lui avait fait. Coups de poing, coups de pied et supplice d'eau jusqu'à l'évanouissement. Moi-même, c'est ce qu'on m'a fait, mais on m'a fait également le supplice de la bouteille introduite dans le derrière.
> Je suis arrivé au poste le dimanche 29 janvier vers 13 heures. On m'a fait descendre tout de suite dans la cave où j'ai trouvé Ould Younès, Mechtaoui et Amirat. C'est à ce moment-là que j'ai aidé Ould Younès à se lever, il était pâle et pouvait difficilement marcher.
> Vers 16 heures, des harkis sont descendus et m'ont emmené dans une petite pièce de la cave qui est à part. Ils m'ont alors interrogé et torturé jusqu'à 22 heures. J'ai eu droit à trois séances allant chacune jusqu'à l'évanouissement et il y avait une interruption entre deux séances.
> J'ai été emmené au Dépôt le 3 février avec Mechtaoui et Amirat. Ould Younès était parti la veille ou l'avant-veille, mais je ne peux pas dire exactement à quelle date car le mercredi 1er février j'ai été emmené au commissariat de Montreuil et j'y suis resté jusqu'au lendemain. Le 2, vers 11 heures, j'ai été ramené au poste de la Goutte-d'Or. Je n'ai revu mes camarades que le 3 février vers 20 heures. Ensemble, nous avons été emmenés au commissariat de la rue Doudeauville puis, à 23 heures, nous sommes arrivés au Dépôt. C'est à ce moment que mes camarades m'ont dit qu'Ould Younès était parti la veille ou l'avant-veille.

J'ai entendu dire qu'un homme s'était suicidé en se pendant avec une ceinture dans les WC mais je n'étais pas présent lorsque cela est arrivé. Ce sont mes camarades qui m'ont raconté cela, dès mon arrivée dans la cave le 29 janvier. J'ignore donc quel est cet homme et ce qui s'est passé exactement.

Amirat Slimane (interné au centre de Saint-Maurice-l'Ardoise), entendu comme témoin dans la même affaire, déclare au juge Braunschweig :

... Le 24 janvier 1961 alors que je me trouvais à Meung-sur-Loire avec ma fiancée, j'ai été arrêté par la DST. J'ai été conduit dans la nuit même à Paris et je suis arrivé au Dépôt vers six heures du matin. J'ai passé toute la journée du 25 janvier au Dépôt et le 26 janvier dans la matinée j'ai été amené chez les harkis, 28, rue de la Goutte-d'Or.
Je suis d'abord resté un quart d'heure dans un bureau puis on m'a fait descendre dans une cave. Là j'ai trouvé cinq compatriotes qui étaient couchés et dans un état lamentable.
L'un de ces hommes se prénomme Amar.
Un autre homme est surnommé « le Chinois », le troisième s'appelle Aït Tayeb. Je ne connais pas les noms des deux autres.
Amar avait été torturé. Ça se voyait. J'ai remarqué qu'il avait des « bleus » sur la figure. D'ailleurs les autres hommes avaient été torturés et, moi-même, je l'ai été le jour même de mon arrivée. J'ai subi trois séances, l'une l'après-midi, la deuxième dans la nuit vers une heure du matin et la troisième dans la soirée du lendemain, c'est-à-dire le 28 janvier. Comme vous pouvez le constater, je porte encore aux jambes et sur les poignets les traces de ces violences.

MENTION. De lui-même le témoin nous montre une cicatrice qu'il porte à la jambe gauche, une cicatrice qu'il porte à la jambe droite et de légers sillons qu'il porte aux deux poignets.

Je sais que les autres hommes aussi ont été torturés car avec Amar ils parlaient entre eux. Mais, vu mon état de santé, je ne m'intéressais pas à ce qu'ils disaient et je ne leur parlais presque pas.
Je suis resté douze jours chez les harkis. Amar a dû partir trois ou quatre jours avant moi.

> Je tiens à vous dire que je voudrais poursuivre les hommes qui m'ont torturé. J'ai écrit à mon avocat ce matin et je vous demande si je peux me constituer partie civile devant vous.

Amirat Slimane, qui a porté plainte pour séquestration arbitraire, coups et blessures, et s'est constitué partie civile, est entendu une seconde fois par le juge Braunschweig, le 16 mars.

Après avoir confirmé sa précédente déposition, il ajoute :

> ... J'ai tout d'abord été interrogé pendant un quart d'heure environ par le capitaine Montaner. Il m'a dit : « Au Dépôt vous êtes porté libéré et je peux vous loger une balle dans la tête et vous mettre dans un sac avec les mots "traître au FLN". Ensuite je vous jetterai à la Seine. » Je lui ai répondu : « Faites selon votre conscience. » Il m'a dit : « Je suis militaire et je peux me passer de la conscience, ce qui m'intéresse, c'est le démantèlement et l'anéantissement de l'organisation FLN. » Je lui ai répondu : « Je suis devant vous, faites ce que vous voulez. » Il a alors dit au lieutenant Derogeot qui se trouvait également dans le bureau d'appeler l'équipe de l'interrogatoire et de me descendre à la cave. Quatre hommes sont arrivés et, avec le lieutenant, m'ont fait descendre à la cave.
> Une fois dans la cave, ils ont commencé par me frapper à coups de poing. L'un des hommes me tenait les mains derrière le dos et les autres me portaient des coups dans la poitrine et dans les côtes. Ils m'ont frappé pendant dix minutes, un quart d'heure. Ensuite, ils m'ont passé les menottes aux mains en prenant la précaution d'entourer les menottes de chiffons pour empêcher les traces. Ils m'ont lié les pieds avec une cordelette puis ils m'ont passé un bâton entre les coudes et les genoux, deux hommes ont pris chacun une extrémité du bâton et ils m'ont fait ainsi tourner plusieurs fois. À plusieurs reprises ils m'ont lâché par terre. Au bout de quelques minutes ils m'ont bâillonné la bouche et le nez avec un chiffon sale. Ils m'ont mis sur le dos, les mains et les pieds toujours liés et à travers le chiffon ils m'ont versé de l'eau avec une bouteille, jusqu'à ce que j'étouffe et que je m'évanouisse.
> Quand je suis revenu à moi, j'étais étendu par terre et j'étais délié, les harkis n'étaient plus là mais j'ai vu cinq compatriotes qui se trouvaient là. Il y avait notamment Ould Younès que je connaissais sous le nom d'Amar. Il m'a dit que c'était lui qui m'avait relevé par

terre pour m'allonger sur un matelas. Au cours de la nuit, la même équipe de tortionnaires est redescendue dans la cave et a recommencé la même séance. J'ai d'abord été frappé à coups de poing et à coups de pied puis j'ai été ligoté et on m'a versé de l'eau.
J'ai encore subi une troisième séance dans les mêmes conditions dans la soirée du lendemain c'est-à-dire du 27 janvier.
Ensuite je n'ai plus été torturé, mais j'ai été amené une fois dans le bureau du capitaine et devant lui j'ai été frappé, toujours par la même équipe. Le lieutenant Derogeot voulait que je travaille pour eux en me proposant une mensualité de 70000 francs. J'ai refusé en disant que j'étais un militant du FLN et que je ne pouvais trahir ma conscience. Je précise que, depuis mon arrivée chez les harkis, j'avais reconnu que je contribuais comme tous les Algériens à l'organisation, mais que je n'avais aucune responsabilité.
Au cours des jours suivants, je n'ai plus été interrogé ni frappé, mais je suis resté douze jours dans la cave. Pendant que j'étais là, j'ai assisté à des atrocités et sévices sur d'autres compatriotes algériens. Parmi eux, l'un s'appelle Aït Tayeb.
Au bout de douze jours, j'ai été emmené au Dépôt et j'ai été isolé dans une cellule. J'y suis resté dix à douze jours avant d'être envoyé à Vincennes. Je suis resté cinq jours dans ce camp et j'ai été envoyé à Saint-Maurice.
Les quatre hommes qui m'ont torturé avec le lieutenant Derogeot sont des musulmans, l'un d'eux était appelé Jacky par les autres, il était en civil et on m'a dit qu'il était lieutenant. Un autre était en civil : il s'agit d'un homme de taille moyenne, d'un mètre soixante-treize environ, costaud, brun de visage avec de petites moustaches noires. Les deux autres hommes étaient en uniforme. Il m'est difficile de vous les décrire mais je pourrais reconnaître tous ces hommes.
Ils parlaient tantôt en français, tantôt en arabe, parfois même en kabyle, mais je ne pourrais dire s'il s'agit d'Arabes ou de Kabyles.
Comme vous avez pu le constater lorsque vous m'avez entendu comme témoin, je portais des cicatrices aux jambes et des sillons aux poignets. Aujourd'hui, les sillons aux poignets ont disparu mais, comme vous pouvez le voir, je porte toujours les cicatrices aux jambes. J'ai l'impression d'ailleurs que je les porterai toute ma vie. D'autre part, j'ai encore mal à la cage thoracique et aux reins.

Un arrêté d'assignation à résidence de quinze jours m'a été notifié le 26 janvier au Dépôt. Tout de suite après m'avoir notifié cet arrêté, j'ai été emmené dans un autre bureau où m'attendaient deux inspecteurs qui m'ont conduit chez les harkis.
Pendant mon deuxième séjour au Dépôt, on m'a notifié un arrêté d'internement administratif pour Saint-Maurice-l'Ardoise et le jour même j'ai été conduit à Vincennes.
Je n'ai vu qu'une seule fois un médecin, c'est lorsque je suis arrivé à Vincennes. Je lui ai dit que j'étais malade et je m'apprêtais à lui montrer mes jambes, mais il m'a arrêté en me disant : « Aujourd'hui, c'est simplement pour vous faire un dossier. » Et il ne m'a pas examiné.
Sur interpellation de son avocat, Amirat Slimane précise : dans l'arrêté d'assignation à résidence qui m'a été notifié il était indiqué que j'étais assigné au Dépôt pour quinze jours.
J'ai été arrêté à Meung-sur-Loire, alors que je me trouvais avec ma fiancée Malika Ighilariz dans une auberge dont le propriétaire est un ami. Il était 22 heures environ et nous soupions. Les inspecteurs de la DST m'ont emmené à la gendarmerie avec ma fiancée, le propriétaire de l'auberge et sa femme. Cette dernière a été relâchée et nous avons été emmenés dans la nuit au Dépôt. En arrivant à 6 heures du matin, j'ai été séparé de ma fiancée que je n'ai pas revue.
Les inspecteurs de la DST ne m'ont pas interrogé et je n'ai signé aucun procès-verbal. Je leur ai d'ailleurs demandé pourquoi j'ai été arrêté ; ils m'ont répondu qu'ils ne le savaient pas.

Un autre Algérien, torturé lui aussi dans la cave de la rue de la Goutte-d'Or entre le 20 et le 23 janvier 1961, devait confirmer les témoignages d'Aït Tayeb et d'Amar Ould Younès. Il s'agit de Mechtaoui Akli ; c'est lui qu'Ould Younès désignait par son surnom « le Chinois ».

Mechtaoui Akli porte plainte le 24 janvier pour séquestration arbitraire et tortures. Il écrit au procureur de la République :

... J'ai été appréhendé le 20 janvier 1961, à 3 heures du matin, à mon domicile, sis 85 rue Marcadet à Paris, XVIIIe, par les agents

supplétifs. Je fus conduit à leur bureau, 28, rue de la Goutte-d'Or, Paris XVIIIe.
Là, j'y ai subi des coups et sévices pendant trois journées, à savoir coups de toute nature, ensuite embroché sur un long bâton, pieds et mains liés, que chaque supplétif tenait de chaque côté, fus levé, tourné en tous sens, tête en bas, pieds en l'air, de la manière dont l'on tourne une broche, avec arrêt de temps en temps, broche libérée par les supplétifs, et mon corps chutant effroyablement à terre. J'en ai les reins esquintés.
Je subis également le supplice de l'eau, que l'on me faisait ingurgiter à grande quantité, jusqu'à étouffement.
Je suis demeuré chez eux pendant quinze jours.
J'ai l'honneur de vous faire connaître que je me porte partie civile.

Entendu trois jours plus tard, dans l'affaire Ould Younès, Mechtaoui Akli déclare :

Je connais Amar Ould Younès. J'ai fait sa connaissance au poste des forces auxiliaires, 28, rue de la Goutte-d'Or.
J'ai été arrêté le 19 janvier par les harkis, et j'ai été emmené dans ce poste à 3 heures du matin. Ould Younès est arrivé au poste le 21 janvier. Nous avons dormi dans la même cave.
Il a dû rester treize ou quatorze jours au poste de la Goutte-d'Or. Personnellement, j'y suis resté quinze jours, et j'ai été ensuite emmené au Dépôt où je me trouve encore.
Ould Younès a été torturé par les harkis, comme je l'ai d'ailleurs été moi-même.
Je sais qu'il a été torturé parce que j'étais dans la cave au moment où il a été torturé. Je me trouvais dans la partie de la cave où nous couchions, et lui était dans une autre pièce de la cave.
Je l'ai entendu crier. Cela a duré trois quarts d'heure ou une heure. C'est moi qui ensuite suis allé le chercher avec un autre camarade, car il ne pouvait plus marcher.
Quand les harkis ont fini de frapper et de torturer un homme avec de l'eau, cet homme reste généralement sans connaissance. Ils le laissent là et ils remontent en refermant la trappe.
Les camarades vont chercher l'homme et le couvrent avec leur pardessus, car il tremble de froid. C'est ce que nous avons fait pour Ould Younès.

Il ne m'a pas dit ce qu'on lui avait fait, mais ce n'était pas la peine qu'il le dise. J'ai bien vu qu'il était encore tout mouillé par l'eau, et nous savons bien ce qui se passe, car c'est toujours la même chose.
Moi-même, j'ai été torturé à trois reprises :
– une première fois, dans ma propre chambre, lorsque j'ai été arrêté ;
– une deuxième fois, dans la cave, dès mon arrivée au poste ;
– et une troisième fois, également dans la cave, le lendemain.
Je souffre encore sur le côté gauche, des côtes, et aux reins, mais je ne porte plus de traces.
Le camarade qui m'a aidé à aller chercher Ould Younès s'appelle Aït Tayeb Achour. Il est en ce moment également au Dépôt.
Il est exact que pendant que nous étions au poste de la Goutte-d'Or, un homme s'est suicidé avec sa ceinture aux WC. Je ne me rappelle pas la date exacte, mais c'était environ quatre ou cinq jours après mon arrivée. Je me trouvais dans le cuisine, en train de faire la vaisselle, lorsque des harkis qui voulaient entrer aux WC l'ont découvert. L'un d'eux avait attendu près d'un quart d'heure devant la porte, puis il avait frappé et, n'obtenant pas de réponse, avait tiré la porte et passé la tête.

Mechtaoui Akli est examiné le 13 mars – près de deux mois après les tortures – par les médecins Raymond Martin et Jacques Lecœur. Dans leur rapport les deux experts notent en particulier :

LA FACE DORSALE DE LA MAIN DROITE est le siège d'une cicatrice à peine visible, de coloration rosée, mesurant 6 à 7 millimètres de diamètre. L'intéressé nous précise qu'il s'agit d'une brûlure par cigarette.
EXAMEN DES CHEVILLES. À gauche : cicatrice en sillon, mesurant 6,5 cm de longueur.
Au niveau de la crête tibiale, cicatrice ovalaire, à grand axe vertical de 2 centimètres, et à petit axe horizontal de 1 centimètre.
EXAMEN DE LA COLONNE DORSO-LOMBAIRE. La pression des apophyses épineuses est douloureuse, de la septième à la douzième vertèbre dorsale. Les mouvements de flexion et de redressement du tronc sont normaux, de même que les mouvements d'inclinaison latérale.

Actuellement, le sujet se plaint toujours de douleurs, en particulier à la base du thorax gauche et au niveau des lombes.
À l'inspection, on ne constate que de minimes cicatrices : l'une à la face dorsale de la main droite, qui correspondrait à une brûlure de cigarette ; l'autre, au niveau de la cheville gauche, a des caractères qui pourraient s'identifier à ceux produits par des liens.
Enfin, la palpation du thorax est douloureuse dans la région de la huitième côte gauche. De même, la palpation du rachis dorso-lombaire est sensible, entre les septième et douzième vertèbres dorsales.
Nos constatations ne font apparaître, évidemment, que de minimes séquelles ; mais il faut tenir compte, dans leur appréciation, de l'ancienneté des faits. Les violences alléguées remonteraient à près de deux mois, et un tel délai a pu permettre la disparition de traces d'ecchymoses ou d'hématomes.
En ce qui concerne les points douloureux décelés dans la région thoracique gauche et au niveau des vertèbres dorsales, ils peuvent résulter de certaines violences décrites par l'intéressé.

Les deux médecins concluent :

Actuellement, il ne persiste que des cicatrices minimes et quelques points douloureux, en particulier au niveau de la huitième côte gauche et de la région dorsale basse.
Malgré leur peu d'importance, il ne nous est pas permis d'infirmer les déclarations du sujet, étant donné surtout l'ancienneté des faits.

« L'homme "arrivé" est vulnérable. Entre l'illusion que dispensent les succès d'un jour et l'ignorance que précipitent les évolutions souvent inapparentes, il prépare ses malheurs. »

Maurice PAPON,
L'Ère des responsables.

Le scandale des tortures éclate maintenant au grand jour. « Des traces de sévices sur des Algériens plaignants contre les harkis » titre *Le Figaro*. Et *Le Monde* (6 mars) publie un filet sous le titre : « Les médecins experts ont constaté sur M. Ould Younès des lésions traumatiques ». *L'Humanité, Libération* s'inquiètent des agissements de la police supplétive, des disparitions d'Algériens, sur lesquelles la police s'efforce de faire le black-out. Sous le titre « La liste rouge » (*L'Humanité*, 2 mars), Madeleine Riffaud accuse des membres de la police supplétive de terroriser et parfois d'assassiner des Algériens. Elle demande : « Que fait la Commission de sauvegarde des droits et libertés individuels présidée par M. Patin ? »

Du coup, M. Papon s'émeut. C'est-à-dire qu'il porte plainte en diffamation contre le directeur de *L'Humanité* et contre Madeleine Riffaud. Et, le 7 mars, il fait saisir le même journal, qui reproduisait des témoignages d'Algériens victimes des harkis. Puis, pour justifier l'action des hommes qui travaillent sous ses ordres, le préfet de police exhibe leurs trophées : « Soixante-deux membres des groupes de choc et de l'Organisation spéciale arrêtés et internés ; saisie d'un important arsenal d'armes, comportant : deux fusils-mitrailleurs, seize fusils de guerre, dix-huit pistolets-mitrailleurs, cinquante-quatre pistolets automatiques, des explosifs et des munitions d'un poids de 150 kg. Les armes saisies sont d'origine étrangère. »

Mais où sont les procès-verbaux de perquisition ? Où sont les scellés ? Il n'y en a pas eu. Aucune information non plus n'a été ouverte, aucune inculpation n'a été signifiée. Les soixante-deux « dangereux terroristes » arrêtés par les services de police n'ont donc pas été déférés à la justice. Les Algériens qui ont porté plainte en séquestration et tortures non plus. Pour quelle raison ? Cette question, huit avocats la posent dans un communiqué rendu public le 9 mars :

« Nos clients ont déposé plus de vingt plaintes en sévices contre les harkis.

« À la suite des communiqués du préfet de police, nous tenons à faire savoir qu'aucun d'entre eux n'est inculpé.

« S'ils sont coupables, ainsi que le déclare le préfet de police, pourquoi n'ont-ils pas été présentés à un juge d'instruction dans le délai fixé par le Code de procédure pénale ? Pourquoi sont-ils assignés à résidence sur seule décision administrative, sans pouvoir faire la preuve de leur innocence, et sans pouvoir recevoir la visite de leurs avocats ?

« Signé : Abdessamad Benabdallah ; Henri Likier ; Mourad Oussedik ; Claudine Nahori ; Anne-Marie Parodi ; Marie-Claude Radziewsky ; Nicole Rein, avocats à la Cour. »

Le préfet de police tente de répliquer en contre-attaquant : le 17 mars, devant le Conseil général de la Seine il déclare : « L'affaire est suscitée par les avocats du FLN, appuyés par ce qu'on appelle une campagne de presse. » Manœuvre de diversion si banale qu'on en rougit pour lui. À propos de *La Gangrène*, M. Debré avait déjà affirmé, sans apporter – et pour cause – le moindre commencement de preuve : « Les vrais auteurs de ce libelle sont connus. Ce sont deux écrivains stipendiés du Parti communiste. » M. Papon, quant à lui, oublie de préciser que les avocats n'ont jamais pu voir leurs clients, puisqu'il leur a toujours refusé le permis de communiquer et qu'ils n'ont fini par les rencontrer que chez le juge chargé d'instruire leurs plaintes. Surtout, il ne répond pas à la question posée : au lieu de rechercher si les accusations sont fondées, il essaie de discréditer ceux qui les portent.

Il faut dire que le préfet de police, au cours de ces longues et orageuses séances des 17 et 18 mars au Conseil général, dut mener une dure bataille.

Au nom des conseillers Pierre Kérautret, André Karman, Auguste Gillot et Adrienne Marie, M. Louis Odru, maire de Montreuil, lui posa une question sur « les conditions dans lesquelles un employé communal de la ville de Montreuil a été contraint, ayant subi de graves sévices, de s'absenter de son travail à partir du 18 janvier ».

L'employé en question, c'est M. Medjmedj Amar, arrêté le 17 janvier par les harkis qui le « travaillèrent » pendant quatre jours. Medjmedj Amar fut ensuite « retenu » au centre de Vincennes jusqu'au 7 février. Il s'agit précisément de l'affaire que M. Papon avait tenté d'étouffer en faisant saisir *L'Humanité* du 7 mars, qui publiait le témoignage de Medjmedj, recueilli par Madeleine Riffaud.

M. Odru soumit donc très officiellement au Conseil général de la Seine quelques-unes des pièces du dossier.

D'abord la plainte déposée par Medjmedj Amar, partie civile:

> ... Je suis âgé de trente et un ans, marié et père de cinq enfants.
> Je suis employé communal à la ville de Montreuil en qualité de cantonnier.
> Le mardi 17 janvier 1961 à 3 heures du matin, j'ai été réveillé par de violents coups à la porte.
> Je me suis précipité à la porte que j'ai ouverte et j'ai alors vu une nuée de harkis, pistolets ou mitraillettes au poing.
> Un harki, habillé en civil, que j'ai su par la suite s'appeler Sebahi, me porta un coup avec son pistolet sur mon côté gauche.
> Mon appartement fut fouillé par une dizaine de harkis, mon poste de télévision fut brisé.
> Ils me demandèrent de m'habiller et me descendirent à la cave qu'ils fouillèrent comme l'appartement.

Ma voiture, qui se trouvait en stationnement au parking des HLM, fut visitée elle aussi, et un coussin fut déchiré.
J'ajoute que j'avais demandé au gradé de porter les clés à ma femme, mais cette demande fut rejetée. Aussi ma femme et mes enfants restèrent enfermés jusqu'au matin à 7 heures et furent délivrés par une voisine, Mme Petit.
Je fus jeté dans un car de police et conduit au poste de policiers supplétifs, 9, rue Harvey.
Au cours du trajet, le car s'arrêta 13, passage Brunnoy et je vis, quelques minutes plus tard, un Algérien monter, le visage en sang, que je sus par la suite s'appeler Berbeg Sadek.
Arrivé au poste de police, 9, rue Harvey, l'on me dit de rester dans une pièce que l'on qualifie de « salle d'attente » et l'on emmena l'autre Algérien qui était ensanglanté dans une pièce que l'on qualifie de « salle de tortures ».
J'ai entendu des hurlements pendant une heure et j'ai vu alors revenir l'autre Algérien soutenu par deux harkis, parce qu'il ne pouvait plus tenir sur ses jambes.
L'on me dit alors : « C'est ton tour » et je fus amené à la « salle des tortures » ; il s'agit d'une pièce de 4 mètres sur 3 mètres, à laquelle on accède en traversant une cour.
Arrivé là, le harki Sebahi me dit d'enlever mon blouson noir de cuir et ma veste, enfila des gants et se mit à me boxer.
Par la suite, il me lia les poignets et les jambes.
Je dus mettre mes genoux en flexion et placer mes mains devant mes genoux, un gros bâton de bois fut alors enfilé entre mes genoux et mes bras fléchis.
Un torchon fut placé sur mon visage et de l'eau savonneuse fut versée sur le torchon.
Je suffoquais et poussais des cris.
Il me dit : « Lorsque tu auras envie de parler, tu lèveras un doigt de ta main gauche. »
Au bout de cinq ou six minutes, la corde cassa, car j'essayais à tout prix d'échapper à ce supplice.
Le sieur Sebahi me demandait constamment si je connaissais quelqu'un du FLN et je répondais que je ne connaissais rien.
Il me dit : « Si tu veux revoir ta femme et tes enfants, tu as intérêt à me donner un nom. »

J'ai hurlé que je ne savais rien et je me mis à saigner du nez et de la bouche.
À ce moment, je fus libéré de mes liens car je suffoquais d'une façon très bruyante, étant asthmatique.
Lorsque je me mis debout, je ne pus tenir sur mes jambes et tombai sur le bureau et mon sang éclaboussa Sebahi. Il prit alors son pistolet et me dit : « Si tu parles pas, je te tue. » Il dit aussi à un inspecteur français en civil : « Je vais le tuer et je le fous à la Seine. » Un des harkis me mit dans un sac, puis Sebahi prit un couteau poignard et me dit : « Je compte jusqu'à trois et si tu ne parles pas, je te tue et je te jette à la Seine, je marquerai sur un bout de papier que tu es un traître au FLN. »
Il compta jusqu'à trois, mais je ne bougeai pas. Il me flanqua alors un violent coup de poing qui me jeta contre la porte.
Après cela, il me donna un chiffon et me dit : « Maintenant essuie tes saletés par terre. »
Je tremblais de rage et de honte et obéis à l'ordre donné par mes tortionnaires.
Lorsque je finis, je fus conduit à la « salle d'attente » et l'on me dit de mettre les mains au mur. Je restai les mains au mur de 8 heures du matin à 19 heures du soir.
Trois autres Algériens étaient comme moi, les mains au mur.
Je passai la nuit sur un banc à la « salle d'attente » et pendant tout ce temps j'ai entendu des hurlements de douleur dans le bâtiment.
Je restai dans la « salle d'attente » jusqu'au 18 janvier à 19 heures.
Pendant ce temps l'Algérien Berbeg Sadek et d'autres Algériens furent torturés.
On nous fit descendre à la cave, qui est très humide, sans lumière et sans aération.
Nous ne pouvions pas dormir et chacun gémissait à la suite des souffrances qu'il supportait.
À un certain moment, nous en avions assez et nous tentâmes de nous suicider de la façon suivante : avec mon canif, j'ai essayé de percer le tuyau de gaz, mais d'autres camarades hésitèrent et me dirent d'arrêter.
Le 18, à 15 heures, on nous descendit du couscous, mais aucun d'entre nous ne pouvait manger.
De temps en temps, on venait me chercher ou l'un de mes compatriotes et on nous emmenait à la « salle des tortures ».

J'ai complètement perdu la notion du temps et je fus amené après d'horribles souffrances, au centre de triage de Vincennes.
J'étais en sang ainsi que mes compagnons, et le sieur Berbeg Sadek vint nous rejoindre deux jours après, au centre de triage de Vincennes.
On l'envoya d'urgence à l'hôpital Cusco; on voulait m'envoyer aussi, mais je refusai.
Je restai dix-neuf jours à Vincennes et je fus libéré.
Les faits que je relate ci-dessus sont généralisés de plus en plus et des dizaines de compatriotes ont subi les mêmes tortures que moi.
Il est facile de s'en rendre compte, en allant au centre de triage de Vincennes, dans les caves des postes de harkis, à la salle Cusco ou dans les hôpitaux.
J'ajoute que mes tortionnaires ont volé 17000 francs dans mon appartement.
Je porte plainte contre le lieutenant Sebahi et contre X, pour vol, violation de domicile, perquisition illégale, séquestration illégale, menaces de mort et coups et blessures volontaires, et me constitue partie civile.

À l'appui de ses déclarations Medjmedj Amar a produit le certificat médical suivant, établi le 8 février par le Dr Guttières, médecin assermenté, directeur du dispensaire municipal de Montreuil :

Je soussigné, médecin assermenté, certifie avoir examiné ce jour, 8 février 1961, M. Medjmedj Amar, âgé de 31 ans, employé comme cantonnier à la ville de Montreuil.
À l'examen actuel, on note:
1° Au niveau du crâne des traces d'ecchymoses des régions fronto-zygomates, malaise douloureux à la palpation, des douleurs aux ouverture et fermeture de la bouche traduisent l'existence d'une arthrite temporo-maxillaire bilatérale, des douleurs de la région mastoïdienne gauche, des douleurs de la région pariétale droite, des douleurs latéro-cervicales réveillées par les mouvements du rachis cervical.
Une diminution de la perméabilité qui serait consécutive aux épitaxis présentés par le blessé au cours des séances de torture et une recrudescence des crises d'asthme pouvant être rattachée au

séjour humide de la cave et à la torture par l'eau pratiquée sur ce blessé.
Par ailleurs, le blessé présente des troubles postcommotionnels se traduisant par des céphalées, des vertiges au changement de position, des troubles auditifs et des troubles visuels.
2° Thorax : traces d'ecchymoses de la région dorsale en regard des apophyses épineuses allant de D 6 à D 11 avec douleurs de la colonne dorsale sous-jacente, qui présente une cyphose congénitale avec lordose lombaire. Des traces d'ecchymoses de la région spéculaire gauche avec douleurs répondant à la région sous-épineuse. Des douleurs de la face externe des dernières côtes gauches avec des signes de fractures probables. L'auscultation révèle l'existence d'un état congestif avec nombreux râles bilatéraux.
3° Bassin : cicatrice de hernie inguinale gauche devenue douloureuse avec faiblesse de la paroi (le blessé fut opéré de hernie inguinale bilatérale en août 1959), douleurs de la crête iliaque gauche et de la région trochantérienne gauche.
4° Membre inférieur droit : douleurs du genou droit avec signes d'arthrose. Cicatrice de la jambe droite de 2 centimètres au niveau du bord antérieur du tibia à sa partie moyenne avec douleurs sous-jacentes et trace d'hématome de la face externe au même niveau.
En conséquence M. Medjmedj, présente des séquelles de coups et blessures par torture pratiquée pendant quatre jours à dater du 17 janvier 1961.
Ces séquelles se résumant en des traces d'ecchymoses avec douleurs du crâne et rachis cervical, troubles postcommotionnels avec troubles auditifs et troubles visuels qu'il y a lieu de faire préciser par des spécialistes, une recrudescence des crises d'asthme en rapport avec les tortures pratiquées, au niveau du thorax, des ecchymoses de la région dorsale avec douleurs sous-jacentes, douleurs de la base de l'hémithorax gauche et état congestif à l'auscultation des poumons.
Au niveau du bassin, douleur d'une cicatrice d'une hernie inguinale gauche représentant une faiblesse de la paroi, douleurs de la crête iliaque gauche et de la région trochantérienne gauche, cicatrice au bord antérieur du tibia à sa partie moyenne douloureuse avec trace d'hématome de la jambe droite et douleurs d'arthrose du genou droit.

Ces lésions justifient un arrêt de travail de quinze jours, sauf complications.

Les Drs Martin et Lecœur, commis comme experts, devaient, à leur tour, examiner Medjmedj Amar, l'un le 23 mars, l'autre le 7 avril. Leurs observations confirment en tous points celles du Dr Guttières et les déclarations de la partie civile. Voici la conclusion du rapport d'expertise:

Ce jour, soit plus de deux mois après les faits incriminés, il persiste encore des lésions cicatricielles.
Au point de vue général, on ne constate pas d'altération viscérale importante. Le jour de notre examen, le sujet accuse une gêne respiratoire, mais il ne s'agit pas d'une crise asthmatique typique.
Quoi qu'il en soit, nos constatations sont en faveur de ses allégations, en ce qui concerne les violences subies.
L'intéressé nous signale encore qu'il a dû arrêter à nouveau son travail et que la reprise est prévue pour le 31 mars 1961.
Bref:
1° Le nommé Medjmedj Amar nous déclare avoir été victime de violences le 17 janvier 1961, au cours desquelles il aurait été frappé à coups de poing et aurait subi des tentatives d'asphyxie.
2° Nos constatations témoignent en faveur de ses allégations.

M. Papon prestidigitateur

Que répond le préfet de police? C'est très simple: il escamote la torture, il escamote le certificat du Dr Guttières et déclare: « Comme me l'a écrit son avocat, M. Medjmedj Amar est malade, il souffre de crises d'asthme et il a été opéré deux fois de hernie… » C'est tout ce que M. Papon a retenu des rapports des médecins. Les ecchymoses, les signes de fracture, les troubles postcommotionnels, les cicatrices relevés par le Dr Guttières, M. Papon les ignore.

Le préfet de police, il est vrai, tient en réserve un autre argument. Selon lui, les militants ont reçu du FLN la consigne de déclarer que tous les aveux qu'ils font leur ont été extorqués par la torture. Bien plus : ils reçoivent même la consigne de se torturer eux-mêmes, de s'autotorturer, par tous les moyens à leur portée. Il leur est recommandé, précise M. Papon, « de se brûler avec leurs cigarettes, de se frapper eux-mêmes, de se donner des coups contre un mur, une table ou un bas-flanc, pour justifier leurs plaintes ».

Si l'affaire n'était pas tragique, si elle ne concernait pas la vie de milliers d'hommes, le préfet de police n'aurait sans doute soulevé qu'une hilarité générale.

Mais il lui manquait, pour achever cette séance de prestidigitation, une « caution morale ». M. Patin, président de la Commission de sauvegarde, la lui donna. Et le préfet de police put brandir les certificats de « bonne conduite » que lui avait adressés cet homme qui « porte haut la conscience et l'intégrité » (M. Papon *dixit*) : « Connaissant et appréciant de longue date les efforts que vous ne cessez de faire en vue de parer à des situations difficiles et de traiter les musulmans faisant l'objet de mesures de sécurité publique dans le meilleur esprit d'humanité, je m'en remets à vous pour tenter d'améliorer la situation matérielle du Centre. »

Cet hommage ne surprendra personne, succédant à celui rendu au même M. Patin par le colonel Argoud au procès des Barricades : « M. Patin lui-même, déclara-t-il, nous a apporté dans ce domaine [celui de la répression] toute l'aide en son pouvoir. » Et le colonel de préciser, à propos d'une directive du général Massu autorisant les exécutions sommaires : « M. Patin nous a dit : "... Je comprends parfaitement l'importance que revêt ce problème pour l'armée, mais, pour Dieu ! supprimez votre directive ; faites-nous de bons dossiers, suscitez même de faux témoins, je vous aiderai de toutes mes forces, mais supprimez, supprimez, pour le ciel ! votre directive." »

Sur ce point, les Algériens victimes de la répression qui se sont adressés à la Commission de sauvegarde ne démentiront ni M. Papon ni le colonel Argoud. La Commission n'est que l'alibi du pouvoir. M. Patin sait, les autres membres de la Commission savent qu'on torture rue Harvey, boulevard de la Gare, à la

Goutte-d'Or; M. Patin sait qu'au sous-sol du Palais de Justice, à quelques mètres du bureau où il siège, sont gardés des hommes qui n'ont d'autre tort que celui d'avoir été trop « marqués » par les tortures. Mais M. Patin n'a jamais eu la curiosité d'aller voir.

La Commission de sauvegarde n'empêche pas la torture, elle la cache, elle l'enveloppe, elle l'orne des fleurs suaves de la civilisation occidentale et chrétienne. Tout ce qu'elle « sauvegarde », c'est le prestige de la police et celui de l'armée.

« L'esprit d'humanité et le respect des droits de l'individu » qui inspirent l'attitude de M. Papon et de ses subordonnés à l'égard des Algériens, les milliers d'hommes qui « ont fait l'objet de mesures de sécurité publique » (euphémisme officiel) peuvent en témoigner. Mais le préfet de police se moque des témoignages, des preuves et des rapports d'expertise. Au cours de cette même réunion du Conseil général de la Seine, MM. Odru et Bourdet ont évoqué un autre cas de tortures et de séquestration arbitraire: celui de Chiker Saïd. M. Papon n'a pas répondu. Il n'a même pas pris la peine de renouveler le tour de passe-passe qu'il avait exécuté pour Medjmedj Amar.

Or, voici la plainte adressée au doyen des juges, le 3 mars 1961, par Chiker Saïd, partie civile:

> J'ai l'honneur de porter plainte entre vos mains en coups et blessures volontaires, séquestration arbitraire et violation de domicile.
>
> Le lundi 20 février à 3 heures du matin, des harkis sont rentrés dans mon établissement par la fenêtre du premier étage, qui donne dans la rue Rébeval. Ils ont procédé à une perquisition et ont emmené trois compatriotes, MM. Hait el Hadi Moussa, Akkache Mouloud et Karam Salah.
>
> À 8 heures du matin, les harkis vinrent me chercher et m'emmenèrent au poste de la rue de la Goutte-d'Or. Je fus tout de suite descendu dans la cave où se trouvaient déjà MM. Karam et Akkache.
>
> Un harki, fort, grand, au visage long et foncé, aux cheveux noirs et frisés, âgé environ de vingt-cinq ans, arabe, parlant arabe et français, ayant le nez cassé et l'allure d'un boxeur, m'attacha les mains derrière le dos. Il me mit debout contre le mur et me frappa à coups de poing dans l'estomac, sur la poitrine et sur tout le corps. Sous les coups, je tombai à terre.

À ce moment, je fus attaché par terre, sur le cadre d'une porte. Le chef, assistant depuis le début aux sévices dont j'étais victime, de type français, costaud, ayant la figure ronde et les cheveux châtains, de taille moyenne, me versa dans la bouche en me pinçant le nez le contenu de dix bouteilles qui avaient été préparées. Je ne pouvais plus respirer et perdis connaissance. À ce moment, le harki me donna des coups de genou dans les côtes, jusqu'à ce que je revienne à moi. Pendant tout ce temps, les deux hommes me disaient : « Parle, parle. »
Je fus ensuite détaché et allongé sur un vieux matelas mouillé à côté de MM. Akkache et Karam qui avaient subi les mêmes sévices que moi avant que je n'arrive dans la cave et qui ont assisté à mes sévices.
Puis, M. Zenadi, demeurant 20, passage Masselier, Paris XIXe, fut amené dans la cave. Il subit le même sort que moi, coups de poing et supplice de l'eau. Comme pour chacun d'entre nous, pendant les supplices, les harkis avaient mis des disques afin d'étouffer nos cris.
Je restai sans pouvoir bouger jusqu'à la fin de l'après-midi. Ensuite, je fus torturé à nouveau par les mêmes harkis. Je subis les mêmes supplices que le matin mais, pendant les coups de poing, mes mains furent attachées avec des menottes.
On me fit monter dans le café et redescendre dans une autre cave, tout à côté, sans lumière. Dans cette cave, il y avait des rats, des bouteilles cassées et des vieux matelas mouillés.
À la lueur d'une bougie, j'ai vu sur un matelas un compatriote, la poitrine et la figure boursouflées, qui gémissait.
Quelque temps après, MM. Akkache, Karam, El Hadi et Zenadi furent amenés dans cette cave.
Au bout de quelques heures, les harkis revinrent pour chercher mes compatriotes et les emmener dans la première cave où ils furent à nouveau torturés. Comme j'étais dans un état grave, je restai couché sur mon matelas.
Je fus relâché le mercredi soir vers minuit.
M. Hait el Hadi a été également relâché, MM. Akkache, Karam et Zenadi doivent être au centre de Vincennes.

À cette lettre était joint le certificat médical suivant, délivré le 24 avril 1961 par le Dr Louis Paillard, 22 bis, rue de Mouzaïa, XIXe.

Je, soussigné, certifie avoir consulté aujourd'hui M. Chiker Saïd, 84, rue Rébeval, à Paris, qui m'a déclaré avoir été torturé à Paris, dans une cave, par la police algérienne de Paris.
J'ai constaté qu'il présente des traces de plaies contuses aux poignets, aux chevilles, au coude gauche. Son thorax présente des signes de traumatisme avec œdème, une radiographie sera nécessaire pour juger de l'intégrité du squelette.
M. Chiker se plaint de courbature générale et de douleurs d'estomac (aurait subi le supplice de l'eau ?).
Je dois signaler que M. Chiker a été soigné en 1950 pour une infiltration tuberculeuse des poumons et que son état de santé peut être aggravé par les mauvais traitements.
Paris, le 24 février 1961.

Entendu le 13 mars 1961 par le juge Braunschweig, Chiker Saïd confirma ses déclarations. Puis, sur interpellation du juge, il précisa :

Le harki qui m'a torturé est « costaud ». Il est assez grand, 1,75 m environ. Il est fort, il a la figure longue et il a le teint brun. Il a les cheveux noirs et un peu frisés, il a le nez cassé comme celui d'un boxeur. Il est arabe et m'a presque toujours parlé en arabe. Il était habillé en civil.
Il y avait un homme qui était toujours à côté de lui et qui paraissait être le chef. Cet homme était français. Il me disait : « Il faut que tu parles... Il faut dire la vérité. » Cet homme ne m'a pas frappé et je crois que, la première fois, il ne m'a pas touché. Mais, lorsque j'ai, pour la deuxième fois, été obligé d'avaler de l'eau, c'est lui qui m'a fermé le nez en me le pinçant avec ses doigts.
Je porte encore les traces des violences que j'ai subies.

MENTION. La partie civile nous montre une cicatrice en voie de guérison au coude gauche, une légère trace au poignet droit et plusieurs cicatrices sur les deux jambes.

Voici d'ailleurs les observations faites par les Drs Martin et Lecœur qui ont examiné Chiker Saïd, le 10 mars 1961, vingt jours après les tortures :

On remarque: *Au poignet gauche*: présence de deux cicatrices croutelleuses, linéaires, mesurant 4 à 6 centimètres environ de longueur.
Poignet droit: cicatrice de 4 centimètres environ de longueur, intéressant la face antérieure du poignet et la partie supérieure de la styloïde cubitale.
Coude gauche: dans la région de l'olécrane, petite cicatrice croutelleuse mesurant 2 centimètres sur 1 centimètre.
Jambe droite: cicatrice transversale mesurant 6 centimètres de longueur. Au niveau de la crête tibiale, cicatrices d'écorchures répétées, de forme lenticulaire, sur une surface identique à celle d'une paume de main.
Jambe gauche: au-dessus de la malléole externe, il existe une cicatrice identique à celle décrite du côté droit.
Au niveau de la crête tibiale, cicatrice linéaire de 4 centimètres environ.
Notre examen est évidemment tardif, puisqu'il s'est écoulé une vingtaine de jours depuis les faits incriminés. Néanmoins, on note au niveau des deux poignets et au-dessus des malléoles la présence de cicatrices linéaires, rectilignes, horizontales, comme il est habituel de le constater après l'apposition de liens serrés.
Nos constatations confirment donc dans une certaine mesure les déclarations de l'intéressé, en ce qui concerne ce moyen de contention.
L'examen systématique du gril costal met en évidence des douleurs assez vives, en particulier au niveau des dernières côtes à leur union avec le cartilage commun; si l'on suit la description donnée par le sieur Chiker, il semblerait que ce soit à ce niveau qu'aient été appuyés les genoux du personnage qui s'était placé sur lui.
Au niveau du visage on ne remarque aucune cicatrice, mais il est certain que le fait de verser de l'eau sur un bâillon ne laisse aucune trace, pas plus d'ailleurs que le pincement des narines.
En résumé, s'il ne nous est pas possible de contrôler médicalement les assertions de l'inculpé, on peut dire que nos constatations, dans une certaine mesure, ne les infirment pas; de plus, dans les zones habituelles de contention par liens, il existe des traces ecchymotiques pouvant fort bien correspondre à l'application de tels liens.
Conclusion: nos constatations ne permettent pas d'infirmer les déclarations du plaignant. Il existe même au niveau des poignets et

des chevilles des traces pouvant correspondre à une contention par liens.

Les caves de Paris

Voici maintenant la lettre adressée le 16 février 1961 au procureur de la République par un détenu de Fresnes, Bennour Boussad, qui avait appris, comme Ould Younès Slimane, la disparition de son frère Hocine :

> ... Mon frère M. Bennour Hocine, âgé de vingt-huit ans, chauffeur de taxi, a été arrêté à son domicile 59, rue Ordener à Paris, le 19 janvier 1961, par les harkis du XVIIIe arrondissement. Depuis cette date mon frère a disparu. Aucune information n'a été ouverte contre lui, et il n'a pas, à ce jour, été conduit en prison.
> J'ai averti le CICR et la Commission de sauvegarde.
> Je porte plainte contre les harkis du XVIIIe arrondissement, en séquestration.

Le 25 février Bennour Boussad, ayant appris que son frère Hocine avait tenté de se suicider après avoir été torturé par les harkis, dépose une nouvelle plainte, cette fois pour coups et blessures volontaires :

> Mon frère Bennour Hocine a été arrêté le 19 janvier 1961 à son domicile, 59, rue Ordener à Paris XVIIIe par les harkis du commissariat de la rue de la Goutte-d'Or.
> Je sais que mon frère a été tellement torturé pendant plus de huit jours qu'il a tenté de se suicider en s'ouvrant les veines. Je sais également qu'il est resté longtemps au Dépôt. Actuellement, je ne sais où il se trouve, je vous prie de le rechercher immédiatement. J'ai porté plainte le 16 février 1961 en séquestration arbitraire entre les mains du Procureur, mais n'ai eu aucune réponse.
> Je porte plainte, ce même jour, entre les mains du Procureur pour coups et blessures volontaires et lui demande d'ordonner une expertise médicale.

Le 21 février, Bennour Boussad écrit à M. Patin :

J'ai l'honneur d'attirer votre attention sur les faits suivants : il m'est arrivé de m'adresser à vous à trois reprises pour trois cas différents qui en effet relèvent de votre compétence.
La première fois en octobre 1959, c'était pour vous demander par l'intermédiaire de mon avocat d'effectuer des recherches au sujet de mon cousin Bennour Ali, père de sept enfants, disparu de son domicile à El-Misser (Fort National). Dans une lettre que vous avez adressée en février 1960 à mon avocat, vous lui avez indiqué en réponse que mon cousin « avait été abattu au moment où il tentait de s'enfuir », formule officielle pour justifier son assassinat.
La deuxième fois, c'était aussi pour vous demander d'intervenir auprès des autorités militaires de Fort National, qui ont emprisonné et torturé pendant dix-huit jours, c'est-à-dire du 9 au 27 juillet 1960 à la caserne de Fort National, ma femme, ma sœur, la femme de mon cousin Ali dont j'ai parlé plus haut et deux autres femmes, toutes mères d'enfants en bas âge. Malgré les précisions que je vous ai données à cette occasion, je n'ai pas eu de réponse. Ce qui est fort significatif quant à l'étendue des pouvoirs de la Commission, si pompeusement appelée de sauvegarde des droits et libertés individuels, dont vous êtes le président.
Cependant, je pensais que si vous étiez impuissant ou du moins vos démarches étaient inefficaces pour ne pas dire nulles en Algérie, vous seriez en mesure de faire mieux en métropole, plus précisément à Paris. En effet, vous n'ignorez pas l'existence de cas de tortures et de lieux où des harkis sont spécialement entraînés et endoctrinés dans des centres spéciaux où ils apprennent l'art de mieux trahir leur pays ; ils sont payés, en plus des vols qu'ils commettent, pour terroriser les patriotes algériens et souvent les assassiner.
À aucun moment, vous ou un des membres de votre Commission n'avez daigné vous rendre à l'improviste en ces lieux.
Bien plus, dernièrement, le 26 janvier 1961, je vous ai envoyé un télégramme vous annonçant l'arrestation de mon frère Bennour Hocine, chauffeur de taxi demeurant 59, rue Ordener à Paris XVIIIe, par les harkis du commissariat de la rue de la Goutte-d'Or. Vous m'avez répondu le 30 janvier en m'accusant réception de mon télégramme et en m'assurant que l'affaire de mon frère retenait particulièrement votre attention. Or, je viens d'apprendre que, lors de sa détention au commissariat de la rue de la Goutte-d'Or, mon frère a

été atrocement torturé et menacé d'être exécuté, ce qui l'a amené à tenter de se suicider. Après cette tentative de suicide, il a été envoyé au Dépôt quelques jours avant que vous me répondiez. Il est évident que si, comme vous voulez me le faire croire, cette affaire, comme tant d'autres, retient particulièrement votre attention, du Palais de Justice où vous êtes, vous n'avez que trois étages à descendre pour constater ces faits: au sous-sol du Palais de Justice où aucune visite n'est tolérée, ce qui n'est pas moins significatif, de nombreux patriotes gémissent à quelques pas de la place que vous occupez en tant que président de la Cour de cassation.
Cet endroit est bien sûr tout désigné pour qu'avec le temps les traces disparaissent. Ces patriotes n'ont aucun moyen de faire entendre leur plainte, encore moins de donner de leurs nouvelles à leurs familles légitimement angoissées. Je n'en veux pour preuve qu'une lettre écrite le 3 février du Dépôt et reçue par son destinataire à Paris que le 16 février.
Tous ces faits ne trompent que leurs auteurs; je suis quant à moi convaincu que la Commission que vous présidez n'est qu'un voile, qui d'ailleurs cache très mal, pour couvrir les agissements de ces traîtres et fantoches qui sont à jamais vomis par leur peuple algérien.

Réponse de M. Patin à Bennour Boussad:

Le Président de la Commission de la sauvegarde
à
Monsieur Boussad Bennour
détenu à Fresnes
n° 2.401.27169

J'ai bien reçu votre lettre du 21 février.
Contrairement à ce qu'il vous plaît de dire, je ne suis au service de personne, et je remplis mon devoir, ainsi qu'un grand nombre de vos compatriotes m'en ont remercié. Les suites utiles ont été données aux précédentes lettres que vous m'avez adressées, sans que j'aie à vous rendre compte de mes diligences. Pour ce qui est de votre frère, Bennour Hocine, il a été impliqué, ainsi que vous le savez peut-être maintenant, dans une affaire très grave qui a nécessité diverses investigations et a amené la découverte d'armes nombreuses. Il est actuellement au camp de Larzac.

> Ni vous, ni vos avocats, ni lui-même ne m'ont jamais informé des violences que, d'après votre lettre, il aurait subies. Je donne les instructions utiles pour qu'il soit examiné au camp de Larzac et pour recueillir les déclarations qu'il estimera devoir faire.
> Recevez, je vous prie, mes salutations.

Là encore, M. Patin est bien mal renseigné : Bennour Hocine n'a jamais été interné à Larzac, mais à Vincennes et à Saint-Maurice-l'Ardoise.

Et c'est du camp de Saint-Maurice qu'il est extrait pour comparaître, le 4 mars 1961 devant le juge Braunschweig. Là, il déclare :

> … J'ai été arrêté le 19 janvier 1961 par les harkis alors que je me trouvais à mon domicile, 59, rue Ordener. J'ai été emmené immédiatement au poste qui se trouve 25, rue de la Goutte-d'Or. C'est la troisième section. Il était environ sept heures du matin.
> On m'a d'abord laissé pendant un quart d'heure, une demi-heure dans la salle du café. Puis un harki m'a fait monter au premier étage pour me présenter à un lieutenant qui se trouvait dans une chambre. Ce lieutenant s'appelle Niboucha. C'est un Arabe ; il porte des lunettes à verres fumés. Cet officier m'a dit : « Tu vas parler. Tu appartiens à l'OS. » Comme je répondais que ce n'était pas vrai, il m'a dit : « Je vais te présenter au capitaine et on verra la suite. »
> Là-dessus le lieutenant tout seul m'a amené voir le capitaine à son PC qui se trouve au 28 de la rue de la Goutte-d'Or, c'est-à-dire un peu plus loin et de l'autre côté de la rue. Le capitaine Montaner se trouvait dans une pièce située au fond à droite.
> Le capitaine m'a fait voir des armes qui étaient dans le fond de la pièce en me déclarant qu'elles m'appartenaient. Je lui ai répondu qu'elles ne m'appartenaient pas et que j'ignorais totalement d'où elles provenaient. Il m'a alors dit : « Vous êtes un soldat, je suis un soldat. J'ai joué ma carte, vous avez joué la vôtre. Maintenant tu parleras, que tu le veuilles ou non, je te donne un délai d'une heure. » Il m'a alors amené dans une pièce qui se trouvait presque en face de son bureau mais pas tout à fait en face. C'est une toute petite pièce où il y a des lits de camping, j'y suis resté seul dix ou quinze minutes.

Ensuite le lieutenant Niboucha est venu me chercher et m'a emmené au 25 de la rue de la Goutte-d'Or. Là, il a ordonné qu'on me fasse descendre à la cave. L'entrée de la cave se trouve au fond de la salle du café, on soulève une planche et il y a des marches qui descendent à la cave. Deux harkis sont descendus avec moi. Une fois dans la cave, ils m'ont tout de suite frappé à coups de poing et à coups de pied sur tout le corps. Ils m'ont notamment donné des coups de poing au visage et des coups de pied dans le côté. Je suis tombé par terre, ils ont continué à me frapper à coups de pied jusqu'à onze heures, onze heures et demie. Ils m'ont alors dit: « Réfléchis bien, tu as tout le temps pour parler » et les deux hommes sont remontés en me laissant seul dans la cave.
Vers 13h30, les deux mêmes hommes sont redescendus. Je peux vous préciser leurs noms. L'un s'appelle Bakheti, l'autre Khodja. L'un d'eux portait une paire de menottes et ils m'ont passé ces menottes, les mains derrière le dos. Je précise qu'avant ils m'ont enlevé mon pardessus et ma veste ainsi que ma montre. J'étais debout et les deux hommes ont commencé à me frapper à coups de poing et à coups de pied sur le visage et sur les côtes. En même temps, ils me disaient: « Tu parles ou tu ne parles pas. » Puis ils m'ont ordonné de m'asseoir sur une planche qui était par terre. C'était en fait un genre de porte sans vitre. Ils m'ont attaché les pieds avec des fils électriques et, alors que j'avais les menottes toujours derrière le dos, ils m'ont fait allonger sur la porte. Bakheti a sauté sur mon ventre avec ses pieds, il a fait cela plusieurs fois. Puis il a pris un chiffon qui était sur une caisse à côté de la planche. Il m'a bâillonné avec ce linge qui « puait ». Khodja m'a alors versé de l'eau dans la bouche à travers le chiffon. C'était de l'eau ordinaire qui se trouvait dans une bouteille. Il m'a ainsi versé le contenu de plusieurs bouteilles jusqu'à ce que j'étouffe. Pendant ce temps, Bakheti, tout en serrant le chiffon contre ma bouche, sautait sur mon ventre avec ses genoux. Il faisait cela pour me forcer à respirer et à avaler de l'eau. Chaque fois qu'il avait fini de vider une bouteille, Khodja disait: « Il est dur celui-là, il n'y a rien à faire » et il me donnait des coups de pied dans les côtes. La séance a duré jusqu'à 17h30 environ. J'avais mon pantalon, mon maillot de corps et mon pull-over complètement trempés. Ils m'ont délié les pieds, enlevé les menottes et ils m'ont laissé là en me disant: « N'oublie pas, ici on parle. » Ils sont remontés. Après leur départ,

j'ai essayé de me relever et j'ai réussi à me traîner jusqu'à une paillasse qui était à un mètre de la planche. Je me suis allongé sur cette paillasse. Au bout d'un quart d'heure environ, je me suis dit que je ne pouvais plus supporter tout cela et j'ai décidé de me couper les veines avec une bouteille. Je préférais mourir, ou en tout cas perdre du sang et être assez affaibli pour qu'ils me laissent tranquille. À proximité de ma main il y avait une bouteille. Je l'ai saisie et j'ai essayé de la casser contre des pierres qui se trouvaient là ; j'étais tellement faible que je ne parvenais pas à la casser. J'y suis cependant arrivé et avec un morceau de verre pointu, je me suis coupé les veines des poignets. J'avais encore assez de force de la main droite et j'ai pu me faire plusieurs entailles sur le poignet gauche. Ma main gauche était plus faible et j'ai pu moins facilement entailler le poignet droit. J'ai pu cependant me faire une coupure assez profonde et trois autres moins profondes. J'ai perdu du sang tout de suite et j'ai même pressé sur mes bras pour faire sortir le sang. Je ne me suis cependant pas évanoui.
Vers 18h30, les deux hommes sont redescendus. Quand ils ont vu le sang, ils se sont mis à rire. Khodja m'a dit : « Lève-toi » et m'a donné un coup de pied sur le côté gauche de la figure. Il m'a dit : « Ainsi tu veux te suicider ? Tu vas voir comment on se suicide ! » Il m'a alors mis les menottes en les serrant des deux côtés sur les plaies. Je précise qu'il m'avait remis les mains derrière le dos. Les deux hommes ont alors recommencé à me porter des coups de poing et des coups de pied. Je précise qu'ils m'avaient forcé à être debout. Un coup de pied m'a atteint sur le sternum. J'ai eu très mal et cela m'a fait pivoter et tomber sur le côté. Khodja m'a alors dit : « Non ce n'est pas là, c'est ici que je veux que tu sois » et il m'a désigné la planche. Il m'a remis sur la planche en me faisant allonger. Bakheti a repris son chiffon, m'a bâillonné et Khodja a recommencé à me verser plusieurs bouteilles d'eau. Il y avait environ une demi-heure, trois quarts d'heure qu'ils étaient auprès de moi, lorsque le lieutenant Niboucha est descendu. Il a demandé s'il y avait du nouveau et comme les deux hommes répondaient « non », il a dit : « Allez-y jusqu'au bout, Jacky s'occupera du reste. » Il est remonté et les deux hommes ont recommencé l'un à me bâillonner et l'autre à me verser de l'eau avec la bouteille. Khodja a dit : « On ne va plus avoir de flotte. » L'autre a répondu : « Ça ne fait rien, il y a des bouteilles vides. » En fait il s'agissait seulement de

menaces, car ils ne m'ont rien fait avec les bouteilles vides. Vers 21 heures, le lieutenant est revenu et m'a conduit au poste du 28, rue de la Goutte-d'Or.

On m'a fait entrer dans le même bureau, mais le capitaine n'était pas là. Il y avait un lieutenant qui s'appelle Derogeot. Celui-ci, en voyant que j'avais du sang sur les poignets, a ordonné qu'on me nettoie mes plaies. Un harki m'a nettoyé les plaies avec de l'alcool à 90° et du mercurochrome, ensuite de la poudre aux sulfamides. Puis il m'a mis des pansements sur les poignets.

J'ai été ramené au poste du 28, je veux parler de la salle du café de ce poste. On m'a fait asseoir à une table et on m'a donné à manger. Dans la salle, il y avait plusieurs harkis et trois détenus. Je connaissais l'un de ces hommes : il s'agit d'Haddad Arezki. J'ai constaté qu'il était dans un état méconnaissable. Il avait les yeux rouges, c'est-à-dire le blanc des yeux, et il avait des bleus sous les yeux. Il avait le torse nu sous sa gabardine et il avait de larges traces bleues sur la poitrine. Je l'ai vu prendre son pull-over et aller le sécher contre le poêle. Je ne connaissais pas les deux autres hommes ; mais j'ai revu ensuite l'un d'eux au Dépôt. Il s'agit du nommé Fodil Mohammed. J'ai également revu l'autre au Dépôt, mais je ne sais pas son nom. Je suis resté dans cette salle jusqu'à minuit environ, puis j'ai été ramené au poste du 25 par le lieutenant Nibouchâ lui-même. Il m'a ouvert la porte de la cave et je suis descendu seul dans la cave où j'ai passé toute la nuit étendu sur la paillasse. Les jours suivants les harkis ne m'ont pas touché et ils ne m'ont même plus interrogé. Je passais toutes les nuits seul dans la cave. Dans la journée, on me faisait parfois remonter dans la salle pour me faire sécher mes vêtements près du poêle. En effet, mes vêtements et mon linge sont restés mouillés pendant trois ou quatre jours. Deux fois par jour, on me faisait monter dans la salle du café pour me faire manger. La nourriture était correcte, c'était celle des harkis.

Je suis donc resté tranquille pendant ces quelques jours, mais je dois signaler qu'un soir, vers 22 ou 23 heures, alors que j'étais dans la salle, un harki est entré et a dit aux autres : « Il y en a un qui s'est suicidé avec sa ceinture dans les WC d'un poste. Cela fait un fellagha de moins. » Il a dit cela d'un ton joyeux. Mais je ne sais pas de quel poste il parlait. Je ne peux pas être précis sur le jour où cela est arrivé, mais je pense que c'était le dimanche 22 ou le lundi 23 janvier.

Je suis resté au poste jusqu'au mardi 24 janvier. Ce jour-là vers 20 heures, on m'a emmené au poste du 28 ; là, trois hommes ont été mis avec moi et on nous a fait monter dans une voiture pour nous conduire au poste de la rue Doudeauville. Nous sommes restés quelques heures dans ce poste puis nous avons été emmenés au Dépôt.
Au Dépôt, pendant deux jours, j'ai été seul dans une cellule puis j'ai été mis dans la salle commune. Je suis resté au Dépôt jusqu'au lundi 27 février. Ce jour-là, j'ai été transféré au camp de Saint-Maurice-l'Ardoise.
Khodja et Bakheti s'adressaient à moi tantôt en français, tantôt en arabe, mais ils parlaient très mal le français et je ne comprenais pas bien ce qu'ils me disaient. Seuls ces deux hommes ont exercé des violences sur moi. Ces deux hommes sont arabes. En effet, je suis kabyle et aucun d'eux ne m'a parlé en kabyle.
Le lendemain ou le surlendemain de mon arrivée au Dépôt, on m'a notifié un arrêté d'assignation à résidence pour quinze jours. À une date que je ne puis préciser on m'a notifié un arrêté d'internement pour le camp de Larzac, mais c'est à Saint-Maurice que finalement on m'a envoyé.

MENTION. Constatons que la partie civile nous montre ses deux avant-bras et nous remarquons environ six cicatrices sur l'avant-bras gauche au-dessous du poignet et quatre cicatrices sur l'avant-bras droit sous le poignet.

Les Drs Raymond Martin et Jacques Lecœur ont examiné Bennour Hocine les 4 et 6 mars, au centre du Dépôt, plus de six semaines après les tortures. Voici des extraits de leur rapport d'expertise :

À ce jour on relève chez Bennour les lésions traumatiques suivantes :
– Plaies cicatrisées des deux poignets sans atteinte des os, des tendons ou des nerfs de la main
– Une cicatrice récente remontant à plusieurs semaines, de la face antérieure du thorax à gauche et qui, d'après son aspect, est contemporaine des cicatrices des poignets, qui sont un peu plus violacées du fait de leur tendance chéloïdienne.
– Une luxation douloureuse de l'appendice xiphoïde.

– Et une tache ecchymotique au niveau de la malléole externe droite.

Les causes des blessures

1) *La date des blessures.* L'aspect des lésions cutanées cadre avec les dires de Bennour et l'aspect des lésions qui remontent d'après celui-ci à six semaines environ ne permet pas d'opposer un démenti aux allégations de la victime.
2) *Les causes des blessures.* Les plaies des poignets sont le témoin d'une tentative de suicide et l'aspect des plaies est bien celui des plaies faites par un tesson de bouteille pointu à plusieurs pointes qui fait des entailles parallèles, comme nous l'avons observé sur Bennour.
La plaie préthoracique gauche actuellement cicatrisée peut très bien être due, étant donné qu'elle est très superficielle, à une griffure au cours des sévices que Bennour déclare avoir endurés le 18 janvier 1961.
Enfin, la luxation de l'appendice xiphoïde est la conséquence d'un traumatisme très violent, à savoir un coup très violent porté sur cet appendice et il est certain qu'une telle lésion ne s'observe pas dans la vie courante à moins que le sujet n'ait été victime d'une agression ou d'un violent accident de la circulation.

Conclusions

Bennour présente actuellement des lésions traumatiques cicatrisées au niveau des deux poignets, de la région préthoracique gauche, de la malléole externe droite et une douleur résiduelle d'une luxation de l'appendice xiphoïde.
On peut estimer à une semaine l'incapacité totale temporaire résultant des blessures.
Les plaies des poignets sont les témoins d'une tentative de suicide et l'aspect des autres lésions cutanées ne permet pas d'infirmer les dires de la victime. La luxation de l'appendice xiphoïde, en dehors de toute notion d'accident grave, doit être considérée comme étant la conséquence de sévices.

« L'État moderne façonne l'idéologie et la moralité sociale du peuple… d'où la gravité de son action. »

M. PAPON, *ibid.*

Sakhraoui Mokrane, lui, a été arrêté le 4 février 1961, par des inspecteurs de la police métropolitaine qui l'ont conduit au PC des harkis, rue de la Goutte-d'Or. Il a été sauvagement torturé pendant trois jours, jusqu'à ce qu'il donne des noms. Humilié, épuisé, Sakhraoui Mokrane a tenté de se suicider. Transporté à l'Hôtel-Dieu, il a été hospitalisé salle Cusco du 7 au 25 février. Son dossier porte le n° 1750. Sur sa fiche d'entrée, on lit : plaie à l'abdomen.

Sakhraoui a porté plainte pour coups et blessures volontaires le 8 mars. Et, partie civile, il a déclaré au juge Braunschweig le 22 mars :

> … J'ai été arrêté à mon domicile, dans la nuit du 4 au 5 février 1961 vers 21 h 30, par des inspecteurs de police français. Ils ont fouillé ma chambre, puis ils m'ont emmené au poste de la place Voltaire. Là, j'ai reçu une ou deux gifles, et les inspecteurs m'ont demandé si je connaissais un chef du FLN ou si j'étais moi-même un chef. J'ai répondu que je ne l'étais pas, et que je ne connaissais personne. Ils m'ont dit de faire attention car ils allaient m'emmener chez les harkis. J'ai encore répondu que je n'étais rien et ils n'ont pas continué à m'interroger.
>
> Vers minuit, ils m'ont emmené au poste des harkis, 28, rue de la Goutte-d'Or. Cinq harkis m'ont tout de suite fait descendre à la cave, et là, pendant trois quarts d'heure environ, ils m'ont « tabassé ». Ils m'ont donné des coups de poing, des coups de genou sur la poitrine et des coups de pied dans les côtes et dans les reins. Les cinq hommes étaient commandés par un lieutenant en

civil, qui, lui, ne me frappait pas tout le temps, mais qui, cependant, à plusieurs reprises, m'a lui aussi donné des coups de poing parce que je ne parlais pas.

Après m'avoir ainsi frappé pendant trois quarts d'heure environ, ils m'ont laissé, et j'ai passé la nuit dans la cave. Il y avait deux autres hommes avec moi.

Dans la journée du 5 février, je suis encore resté dans la cave et, le soir, les mêmes hommes, avec le même lieutenant, sont redescendus. Je ne peux pas dire à quelle heure c'était exactement car je n'avais pas de montre.

Comme je ne pouvais pas me lever, ils m'ont traîné par les jambes jusqu'à l'autre partie de la cave. Là, pendant deux ou trois minutes, ils m'ont frappé à coups de poing et à coups de pied, puis ils m'ont attaché les mains avec une ficelle, ils m'ont mis les mains sur les genoux, et ils ont passé un bâton entre mes bras et mes genoux. Ils m'ont couché sur le dos, l'un des hommes s'est assis sur mes genoux, deux autres hommes m'ont serré un chiffon sur le nez et la bouche, puis ils m'ont versé de l'eau salée à travers le chiffon. L'eau m'entrait dans les poumons, j'étouffais, le chiffon m'empêchant de respirer et de rejeter l'eau.

Il m'est impossible de vous préciser combien de temps cela a duré : peut-être une demi-heure, peut-être trois quarts d'heure, mais je ne me rendais pas compte du temps, je souffrais tellement que je ne savais plus où j'en étais. Je ne peux pas non plus préciser le nombre de bouteilles d'eau qu'ils m'ont versées dans la bouche. Mais il y avait au moins trois ou quatre bouteilles.

En tout cas, au bout d'un moment, ils m'ont appuyé avec leurs genoux sur le ventre pour me faire rejeter de l'eau, puis ils m'ont traîné dans la partie de la cave où j'avais déjà passé la nuit précédente. Ce soir-là, il y avait encore deux hommes, les mêmes que ceux qui avaient déjà passé l'autre nuit avec moi.

Pendant la journée du 6 février, les harkis m'ont laissé tranquille, mais, dans la nuit, ils sont revenus. Cette fois, ils n'étaient plus que trois, avec le lieutenant. Ils m'ont fait lever, ils ont mis une bouteille par terre, et ils m'ont assis sur cette bouteille. Avec leurs mains, ils m'ont appuyé sur les épaules, pour que la bouteille rentre dans mon anus. Je criais, mais ils ont continué et ils m'ont même couché un moment sur le côté pour me faire entrer la bouteille avec leurs mains.

> Je ne peux pas vous dire encore combien de temps cela a duré. Pendant les tortures, je ne me rendais pas compte du temps qui s'écoulait.
> J'avais tellement mal que j'ai fini par dire que j'étais chef de groupe, et j'avais même dit que j'avais trois hommes sous mes ordres. Les harkis m'ont alors laissé et ils sont remontés.
> Une heure ou deux après leur départ, j'ai décidé de me suicider. D'abord parce que j'avais trop mal, ensuite, parce que j'avais été obligé de donner trois noms d'hommes qui n'avaient rien à se reprocher. J'avais seulement donné trois prénoms, mais avec des adresses. J'ai alors pris une bouteille, je l'ai cassée et, avec un morceau, je me suis donné un coup sur le ventre. J'ai perdu connaissance, et je ne sais pas ce qui s'est passé ensuite, et je me suis retrouvé à l'Hôtel-Dieu, salle Saint-Jean.
> Les deux hommes qui étaient avec moi dans la cave sont maintenant à Saint-Maurice. L'un s'appelle Boulakdam Slimane ; j'ignore le nom de l'autre.

L'un des hommes que Sakhraoui a rencontrés dans la cave de la rue de la Goutte-d'Or, Boulakdam Slimane, a lui aussi porté plainte pour séquestration et tortures, le 8 mars 1961.

Voici la déclaration qu'il a faite le 28 mars devant le juge Perez :

> ... J'ai été arrêté par les policiers supplétifs un samedi, au début du mois de février, vraisemblablement. Vers 15 h 30, je sortais d'un café, près de la station de métro Anvers, lorsque des supplétifs en uniforme et des civils m'ont interpellé et conduit 28, rue de la Goutte-d'Or.
> Là, j'ai été descendu dans la cave et frappé à coups de tête et à coups de poing, sur toutes les parties du corps. Puis, on m'a attaché les pieds à un morceau de bois et, après m'avoir mis un mouchoir sur la bouche, les supplétifs – qui étaient plusieurs dans la cave – m'ont forcé à avaler de l'eau mélangée d'eau de Javel. Deux d'entre eux me tenaient par les pieds, un troisième était assis sur mon ventre, et un quatrième me maintenait la tête pendant que le cinquième versait l'eau de la bouteille. Ces hommes me posaient des questions au sujet du FLN, et cette scène, de même que les coups, s'est renouvelée tous les jours pendant cinq jours.

Deux autres Algériens étaient également dans la cave, prénommés Mokrane et Merabet, et ont été torturés dans les mêmes conditions. L'un d'entre eux a même voulu se tuer avec une bouteille.
Les supplétifs étaient sous les ordres d'un lieutenant, qui a assisté aux tortures et qui m'a même frappé. Il mettait des gants pour le faire. Ce lieutenant était grand, avec une petite moustache et des cheveux foncés. Il s'agit d'un Algérien.
Le deuxième jour, j'ai été frappé avec un morceau de bois et j'ai eu le bras droit cassé.
J'ai été conduit au capitaine au bout de cinq jours. Celui-ci m'a fait remarquer, en voyant mon état et notamment mes yeux qui étaient gonflés et noirs, que j'aurais mieux fait de parler avant qu'on ne me frappe, et finalement, après avoir été emmené dans un poste de police voisin, j'ai été envoyé à Vincennes.
Cinq jours après j'ai dû être hospitalisé à l'Hôtel-Dieu, salle Saint-Jean, et j'ai été opéré pour mon bras. Je suis resté dix-huit jours à l'Hôtel-Dieu. J'ai demandé moi-même à sortir et j'ai été reconduit à Vincennes, puis au Dépôt.

Sa fiche d'entrée à l'Hôtel-Dieu porte en effet: « Fractures des côtes et du cubitus. (Dossier 2.159.) » Il a été soigné du 15 février au 4 mars dans le service chirurgical du Pr Patel. Le Dr Cormier (assistant du Pr Patel) a délivré à Boulakdam le certificat suivant:

Je soussigné chirurgien assistant des hôpitaux certifie que M. Boulakdam Slimane a été hospitalisé dans le service du Pr Patel du 15-2-61 au 4-3-61 pour fractures des côtes gauches et fracture du cubitus droit. Cette dernière a été traitée par compteur de Davis.

Voici enfin des extraits du rapport d'expertise établi par les Drs Martin et Lecœur, le 30 mars 1961, près de deux mois après les sévices :

LES CAUSES DES BLESSURES

Boulakdam prétend avoir été victime de sévices entre le 2 et le 7 février 1961, au commissariat de la Goutte-d'Or. Les constatations faites à l'Hôtel-Dieu confirment les dires de la victime et, d'autre part, les cicatrices transversales constatées à la face dorsale des deux poignets doivent être interprétées comme étant la conséquence de blessures faites par un lien serré posé au niveau des deux poignets. Ces constatations rendent vraisemblables également les dires de la victime.

CONCLUSIONS

1) Boulakdam présente à ce jour des séquelles de fracture du cubitus droit et des fractures de côtes gauches, des lésions traumatiques superficielles au niveau des deux poignets, de la face, de la région lombaire et des deux jambes.
2) L'incapacité totale temporaire résultant des blessures doit être évaluée à trois mois. Il existe des séquelles dommageables devant donner lieu à la fixation d'un taux d'incapacité partielle permanente qui ne peut pas être évalué à ce jour.
3) Le *pretium doloris* est assez important.
4) Les constatations faites à l'Hôtel-Dieu le 15 février 1961 ainsi que les caractères des lésions traumatiques des poignets confirment les dires de la victime quant à des sévices qu'elle aurait subis entre le 2 et le 7 février 1961.

Merabet Mohand Ouali, qui fut torturé rue de la Goutte-d'Or en même temps que Boulakdam Slimane, a adressé à son tour, le 14 mars 1961, au doyen des juges la plainte suivante :

... J'ai été arrêté arbitrairement par les harkis le 3 février 1961 dans le boulevard Auguste-Blanqui où je travaillais auparavant. J'ai été incarcéré au centre des supplétifs, 9, rue Harvey, où l'on m'avait enfermé pendant une journée. Le lendemain, 4-2-61, j'ai été séquestré dans une cave au 28, rue de la Goutte-d'Or, Paris XVIIIe. Là, on m'avait fait subir les tortures les plus barbares. Mes bourreaux employaient tout leur art inhumain pendant une période de sept jours, afin d'obtenir de moi des renseignements que j'ignorais. J'ai subi toutes les tortures que l'on peut s'imaginer ; à commencer : des coups de poing et de pied venant de huit personnes, le gonflage à l'eau, on m'a passé à la broche, la bouteille, etc.
Après tout cela, j'ai été écroué au Dépôt le 10 février 1961, avec deux côtes cassées. On ne veut même pas m'hospitaliser, quoique

je souffre énormément. Je dépose plainte contre mes tortionnaires que je suis bien en mesure de reconnaître, et de citer des témoins. Je vous prie, Monsieur le doyen des juges, de prendre ma plainte en considération et de me convoquer, afin que je puisse déposer devant vous.

Extraits du rapport d'expertise établi le 10 mars 1961 par les Drs Martin et Lecœur :

Les causes des blessures

1) L'aspect des lésions traumatiques constituées au niveau des deux chevilles permet d'affirmer de la façon la plus formelle que celles-ci sont la conséquence d'une compression par un lien excessivement serré puisque, une semaine après les faits invoqués, il persiste encore des traces indéniables.
2) La contusion thoracique de la base gauche avec tuméfaction au niveau de la dixième côte gauche est de toute évidence la conséquence d'un traumatisme, mais il est impossible médicalement de dire si cette contusion date exactement du 3 au 5 février 1961.

Conclusions

1) Merabet présente des séquelles de lésions traumatiques au niveau des deux chevilles et au niveau de la partie antérieure de la base thoracique gauche.
2) Les lésions des chevilles n'entraînent aucune incapacité partielle permanente et l'on doit escompter que la contusion de la base thoracique gauche n'entraînera, elle non plus, aucune incapacité partielle permanente.
3) Les lésions des chevilles résultent d'un traumatisme fait par un lien serré au niveau des deux chevilles. Les séquelles de contusion de la base gauche sont d'origine traumatique et peuvent remonter aux premiers jours de février, sans que, médicalement, il soit possible d'affirmer la date exacte du traumatisme.

Nous publions maintenant la déposition écrite de Leghma Djillali, qu'il a intitulée lui-même « Quatre nuits chez les Faux Frères ».

J'ai été arrêté à mon domicile, 13, cité Popincourt, Paris XIe, le 14 février 1961 à 23 heures par des inspecteurs en civil. Après une fouille minutieuse qui a duré une heure, ils m'ont emmené dans un poste de police du XVIIIe arrondissement, où je suis resté jusqu'à six heures du matin; de là, ils m'ont emmené à la Villette où j'ai été interrogé par d'autres inspecteurs pendant deux heures, puis rappelé à plusieurs reprises pour diverses questions. Pendant tout l'interrogatoire aucun d'eux ne m'a manqué de respect.
Le soir, vers 18 heures, deux inspecteurs m'ont appelé. Ils m'ont mis les menottes avec un autre frère arrêté le matin, ils nous ont emmenés tous les deux au centre de triage de Vincennes où nous sommes arrivés vers 19 heures, puis les deux inspecteurs sont partis. Nous avons été mis dans un hangar ; une demi-heure après, un civil m'a appelé parmi les employés du bureau. Il m'a interrogé sur ma situation familiale, sociale et mon domicile. Quelques minutes après ce fut le tour du frère qui était avec moi, après quelques minutes d'interrogatoire il fut libéré et emmené dans un car de police, certainement jusqu'au métro, et je suis resté tout seul.
Vers 20 heures ils m'ont appelé de nouveau au bureau, ils m'ont remis une somme d'argent saisie lors de la perquisition effectuée à mon domicile, on m'a fait signer un papier puis on m'a dit de partir comme quoi j'étais libéré. J'ai demandé par quel moyen je devais rentrer, où rejoindre le métro, l'un des policiers m'a répondu que le car était en panne. Puis quatre policiers m'ont accompagné jusqu'à la porte du centre. L'officier m'a fait signe de tourner à gauche en me disant: voilà la direction du métro, à peine ai-je marché dix mètres quand j'ai aperçu trois hommes qui avaient l'air de guetter quelqu'un. En effet, à peine arrivé à leur hauteur, ils se sont jetés sur moi. Le premier qui était en face, derrière la voiture, avait un foulard à la main, un chauffeur dans la voiture noire prêt à démarrer à la première occasion. J'ai cru que j'avais affaire à des bandits ou blousons noirs. J'ai refusé de m'approcher de la voiture, j'ai résisté farouchement pendant cinq minutes. Je criais « au secours » et battais des mains et des pieds.
Il y avait toute une file de voitures et des gens qui me regardaient, mais les quatre hommes les ont tenus en respect avec leurs armes à la main. Ils m'ont engouffré dans une Dauphine noire immatriculée 7711. L'un m'a mis un mouchoir dans la bouche et m'a bandé les yeux avec un foulard, puis m'a placé le canon d'un énorme pis-

tolet sur la tempe et m'a ordonné de me taire sinon il ferait usage de son arme. J'ai compris alors que j'avais affaire à des harkis et j'ai cru qu'ils allaient me tuer ; pendant tout le trajet je n'ai rien vu. J'ai entendu dire par un autre qu'ici c'est Saint-Denis, et j'ai compris qu'ils m'emmenaient dans leur PC de la rue de la Goutte-d'Or. En effet, soudain la voiture s'arrête, un des harkis m'a pris par le bras et m'a fait entrer dans la cave. Ils m'ont enlevé le foulard et m'ont mis les menottes les mains derrière le dos, puis le lieutenant qui descend avec un énorme pistolet en me disant que je suis ici pour dire la vérité, sinon que j'aurais une balle dans la tête et qu'ils me jetteraient dans la Seine au quai de la Rapée. Ce fut la première parole du lieutenant Derogeot, homme de vingt-huit à trente ans, blond, d'une taille moyenne, avec une moustache épaisse, il est parti aussitôt. Et ils ont fait venir un harki en civil qui a commencé à me faire de la psychologie en me disant qu'il a vu des hommes de tués ici dans la cave, ici ce sont des militaires et qu'ils peuvent me supprimer comme un rien, donc j'ai intérêt à dire la vérité; un moment après il est parti. Vers 2 heures du matin, quatre hommes descendirent dans la cave, ils m'ont enlevé les menottes, l'un d'eux un blond âgé de vingt-sept à vingt-huit ans, d'origine kabyle, c'est lui le chef, m'ordonna de me déshabiller et la séance commença par des coups de poing, des gifles et des coups de pied, me baissèrent la tête et me donnèrent des coups de genou au foie, jusqu'à m'évanouir. L'un d'eux, me versa une bouteille d'eau sur le visage puis me fit de nouveau attacher les mains derrière le dos, les pieds joints également, ils m'ont allongé sur une porte de bois, la tête dans le charbon, me bandèrent les yeux avec mon cache-nez puis m'ont mis un chiffon dans la bouche et me versèrent de l'eau dans les narines jusqu'à perdre complètement le souffle et me sautèrent sur le ventre pour me faire rejeter l'eau. La séance a duré une heure environ et j'ai été obligé de mentir pour me sortir de leurs actes barbares. Ils m'ont fait monter au bureau du lieutenant, il m'a dit qu'il savait que j'étais un grand responsable dans l'organisation FLN et que je dois donner mon responsable, mes subordonnés, après, moi je serais relâché. Puis ils m'ont emmené dans une cave au 29, rue de la Goutte-d'Or, car le PC où j'étais torturé, c'était le 28 de la même rue. Arrivé dans cette cave, j'ai trouvé une paillasse et une couverture complètement mouillées, d'ailleurs mon maillot et ma chemise étaient déjà trempés et je n'ai cessé de grelotter dans cette cave sans lumière avec une odeur malsaine et des gros rats qui me sautèrent toute la journée sur le visage. À 7 heures du matin, un des harkis m'a appelé pour faire les corvées, balayer les escaliers de tout l'hôtel de cinq étages, laver le café qui est le poste, et allumer le poêle. Pendant toute la corvée mon gardien me frappait et m'injuriait sans la moindre raison. Après trois heures de corvées, ils m'ont fait descendre dans la cave jusqu'à 9 heures du soir où ils m'ont appelé au bureau du lieutenant Derogeot pour confronter un frère qu'ils venaient d'arrêter, un harki m'a emmené du 29 jusqu'à la cave du 28 ; ils m'ont présenté le frère qu'ils venaient d'amener de Vincennes comme moi ; j'ai répondu que je ne le connaissais pas, ils m'ont fait monter immédiatement au bureau du lieutenant. À peine arrivé, j'ai entendu des cris et des sanglots, c'était mon frère qu'ils venaient d'arrêter, qu'ils passaient à tabac. Une demi-heure environ. Ils l'ont fait monter au bureau du lieutenant avec les yeux rouges et son corps qui balançait comme un soûlard et ce fut une deuxième confrontation avec lui. J'ai répondu que je ne le connaissais pas et lui a déclaré également, et puis le lieutenant Derogeot a commencé à critiquer l'activité du FLN, l'incompétence de ses responsables, leurs actes arbitraires, sans faire allusion à ce qu'il nous a fait faire lui-même, et puis ce furent d'autres questions sur le problème politique. Pourquoi nous sommes devenus des éléments actifs du FLN ? Qu'est-ce qu'elle nous a fait la France ? Avions-nous subi des misères ? Pourquoi faisons-nous la guerre ? J'ai répondu simplement qu'après sept années de guerre ces questions dépassent le stade de leurs réponses et, à la fin, il nous a déclaré qu'il lutte pour qu'il n'entende plus de coups de feu en allant au cinéma et pour que les communistes ne rentrent pas en Afrique du Nord. La discussion terminée, il nous a dit qu'il nous donnerait encore une chance de réfléchir afin de dire la vérité pour le lendemain. Il était une heure du matin quand un harki nous a emmenés à la cave du 29 où j'étais dans la journée, et le lendemain à 7 heures ce fut de même réveil pour les corvées. À midi un harki m'a ouvert la porte de la cave et me fit signe de monter, puis m'ordonna de le suivre. En sortant du 29, j'ai remarqué tous les gens qui me regardaient, deux femmes qui se trouvaient sur le trottoir ont porté leur main à leur bouche, mon état physique les a surprises, les yeux bleus, barbe non rasée, et puis nous sommes rentrés dans le PC du 28, il m'a fait rentrer au bureau du capitaine Montaner, en présence du lieutenant Derogeot, une troisième personne dont j'ignore les fonctions : un homme de taille moyenne au nez fort, âgé de quarante ans environ. Le capitaine a commencé par me traiter de menteur, puis me pose des questions d'un air autoritaire, il m'intitule responsable de zone ou superzone, dont moi-même j'ignore ce que cela représente, les deux noms, dans l'organisation FLN, et je ne savais même pas ce qu'il voulait dire ; il m'a tout de suite dit de dire la vérité, sinon j'y passerais comme les autres. J'étais complètement terrorisé. Puis il me posait des questions et je savais même pas ce que je répondais ; un quart d'heure à peine, il m'ordonne de partir et je suis retourné à ma place dans la cave du 29 qui m'a été offerte comme domicile conjugal. Vers cinq heures de l'après-midi, le capitaine m'appela de nouveau. Arrivé au PC, il m'a dit que mes déclarations étaient fausses, il m'a menacé aussitôt de dire la vérité sinon j'aurais une balle dans la tête.

La discussion fut brève et il m'ordonna de descendre à la cave avec lui, accompagné de quatre harkis en civil dont l'un d'eux est toujours le même responsable, soi-disant sous-lieutenant, le blond en question cité à la première séance de torture. Arrivés dans la cave du 28, le capitaine prend le stylo et un carnet, assis sur une paillasse, puis ordonne aux harkis de m'attacher les mains derrière le dos, et la séance commença par les coups de poing, il leur a dit d'éviter le visage, puis il me posait des questions, l'adresse de mon responsable et de mes subordonnés, des fonds et armes. J'ai répondu que je ne connaissais rien. La séance a duré jusqu'à m'évanouir, tomber à terre et j'ai perdu connaissance. L'un d'eux a saisi une bouteille d'eau puis me la versa sur le visage un instant, après le réveil ils m'attachèrent les mains, les pieds puis m'allongèrent sur une vieille porte cassée, la tête dans le charbon, les yeux bandés avec un chiffon, la bouche fermée également avec un autre chiffon puis me versèrent de l'eau dans les narines et c'est toujours le capitaine qui leur donnait les méthodes de tortures car l'un d'eux s'est assis sur ma poitrine le capitaine lui a dit : «… comme ça il ne pourra pas avaler beaucoup d'eau », puis il m'a mis entre ses jambes et par ses mains me serrait les épaules contre la porte. Le capitaine a recommencé ses questions et je ne savais même pas ce que je répondais, j'étais étouffé plusieurs fois, et j'ai manqué maintes fois de perdre le souffle. Un instant après j'avais le ventre plein d'eau et l'un d'eux me sautait dessus et je vomissais pendant dix minutes. La

séance terminée, ce fut la troisième méthode qu'ils ont baptisée « la Broche ». Toujours les pieds et les mains attachés, ils m'ont fait asseoir les bras croisés en bas des genoux, me passèrent une poutre entre les bras et les cuisses puis ils me tournaient d'un sens puis d'un autre pendant quinze minutes, d'un coup violent la poutre s'est cassée en deux et j'ai été projeté au fond de la cave sur un tas de charbon et de bouteilles vides et de là je ne pouvais plus bouger ni respirer et ils m'ont versé plusieurs bouteilles d'eau, un moment je me suis réveillé les mains et les pieds détachés restés inertes. Et j'ai trouvé que les quatre harkis autour de moi ; ils m'ont laissé un moment puis ils m'ont fait monter au café qui était le poste. Je ne pouvais pas tenir l'équilibre, un des harkis m'a offert une tasse de café que j'ai bu à contre-cœur. La séance a duré deux heures environ mais sans cesse. Tout en restant dans le poste, tout à coup j'ai entendu quelqu'un dire : fixe ! J'ai essayé de me lever, l'un des harkis m'a fait signe de m'asseoir, j'ai regardé et j'ai vu le capitaine qui rentrait pour manger, il était 20 heures environ. De là ils m'ont déplacé dans une autre chambre qui est le bureau d'un sous-lieutenant en civil, un grand fort, âgé de vingt-sept à vingt-huit ans environ. Il m'a fait asseoir sur une chaise à peine je me tenais correctement, il a commencé à me parler en kabyle, puis en français, en me disant chez moi ce n'est pas comme chez les autres, et tu dois dire la vérité, j'ai répondu que la vérité je l'ai dite, puis il est ressorti voir le capitaine et le lieutenant qui étaient dans la chambre en face. Un quart d'heure après, il est revenu en me disant que c'est faux, puis il a commencé de me faire d'autres sévices, il m'a donné une série de gifles, puis il m'a fait rentrer les deux pouces dans mes yeux et j'ai senti mes yeux rentrer dans le crâne, puis suivent les étranglements jusqu'à avoir les yeux pleins de larmes ; après une heure de sévices, il m'a renvoyé dans une chambre à côté. Il était environ minuit zéro heure.
Le lendemain à midi, soit le quatrième jour, le capitaine m'a appelé de nouveau ; il m'a posé plusieurs questions et il m'a menacé de me faire descendre à la cave et depuis je ne l'ai pas revu. Le soir vers 20 heures le sous-lieutenant est revenu il m'a fait descendre à la cave sans me dire un mot, on m'a laissé une demi-heure tout seul, j'ai frappé, ils m'ont apporté à manger. Tout à coup je vois le lieutenant qui descend, il m'a trouvé en train de manger, il s'est mis en face de moi pendant cinq minutes à me regarder d'un air haineux,

mais sans dire un mot, puis il est reparti. Je suis resté jusqu'à 10 heures du soir, personne n'est revenu me voir et je suis monté par une porte de la cave qui donnait sur le couloir, je suis rentré dans la chambre où j'étais dans la journée, là où couchait un frère arrêté depuis vingt et un jours. Ce dernier m'a fait voir des grandes plaies qu'il portait encore sur les bras et sur la poitrine. Ils ne voulaient pas le libérer à cause de ses blessures. Lui-même m'a révélé tous les sévices qu'ils lui ont fait subir, il m'a déclaré lui-même avoir vu deux morts dans la cave du 28. Ce frère est prénommé Smaïl, prêt à témoigner. Un harki en civil prénommé Mohand Ouremdam m'a déclaré en discussion amicale avoir vu un frère qui s'est suicidé avec une bouteille cassée qu'il a enfoncé dans son ventre après une série de tortures.
Après deux heures de discussion avec le frère Smaïl, le lieutenant m'a appelé de nouveau vers minuit en faisant un peu de psychologie, en me disant qu'il a fait de son mieux pour me faire relâcher, mais comme je ne voulais pas lui dire la vérité il s'est trouvé obligé de m'envoyer en prison, et en sortant il m'a souhaité de me trouver dans deux ans comme sous-préfet en Algérie. Comme j'ai vu qu'il se moquait de moi je n'ai rien répondu et ce fut la dernière discussion avec lui. Le lendemain à 2 heures du matin ils nous ont emmenés à Vincennes, moi et l'autre frère qui s'est fait arrêter un jour après moi. Ce frère est prénommé Ali, il est prêt également à toutes confrontations. À peine restés deux heures à Vincennes ils nous ont transférés au Dépôt où nous étions isolés chacun dans une cellule, seul et complètement délaissé, ni promenade, ni toilette, ni autre commission à part le journal. Comme j'étais complètement détraqué par les tortures et me levais à peine, j'ai demandé à plusieurs reprises à voir le docteur. Cinq jours après il est venu me voir. Je lui ai fait part de mes souffrances, je lui ai déclaré que je souffre du foie, de la colonne vertébrale, j'ai une côte de cassée du côté droit, ainsi que de la cage thoracique, je ne peux ni respirer, ni éternuer, il m'a répondu que ce n'est rien sans même me toucher. Il m'a donné quatre cachets et il m'a mis un peu de pommade sur la poitrine. Je lui ai même fait part des sévices qu'ils m'ont fait subir, il ne voulait même pas les prendre en considération, puis j'ai préféré me taire.
Plusieurs frères ont subi les mêmes sévices que moi, dont un nombre peut le témoigner. Si plusieurs n'ont pas déclaré les sévices

subis, c'est parce qu'ils ont reçu des menaces de leurs tortionnaires et ils ont peur de se trouver à nouveau entre leurs mains, autrement dit, c'est une vraie boucherie qui se passait à la cave du 28, rue de la Goutte-d'Or et, parmi les harkis trouvés dans leur PC, j'ai pu reconnaître quelques-uns d'entre eux que je connaissais en tant que vagabonds et n'ont jamais essayé de gagner leur vie honnêtement. D'autres sont ceux qui ont volé de l'argent à l'organisation du FLN, ont rejoint la police pour leur dire que nous étions menacés pour payer nos cotisations, et celle-ci se contente de les prendre en main sans tenir compte de leurs qualités. Or, en majorité ce sont des gens sans opinion, ignorants et même à moitié chauvins, qui n'ont aucune conscience et ils ne sont pas convaincus par idéologie. Or, aujourd'hui si je suis victime de ces gens, la faute incombe à ceux qui les ont armés moralement et matériellement, qui, soi-disant civilisés, connaissent les lois de guerre, la convention de guerre et pourtant sont mieux placés pour connaître la justice.
Aujourd'hui par la présente, je porte à la connaissance de la justice, de l'opinion français et de la Commission de sauvegarde des droits individuels les actes de barbarie que subissent des centaines d'Algériens dans le quartier de la Goutte-d'Or par une poignée de vauriens, appelés sous l'étiquette « Police auxiliaire ». Je fais appel de nouveau à la justice et à la Commission de sauvegarde d'intervenir auprès de la nouvelle « Gestapo ».

Entendu le 29 mars par le juge Perez, Leghma Djillali confirme sa plainte et, sur interpellation du juge, donne les précisions suivantes :

Je vous signale que les douleurs signalées par les médecins, principalement à la cage thoracique, subsistent, et je demande en conséquence qu'un examen radiologique soit fait dans le plus bref délai. Par ailleurs, j'ai toujours mal aux deux tempes et je suis fréquemment victime d'étourdissements et de nausées.
En ce qui concerne les faits proprement dits, j'attire tout particulièrement votre attention, en dehors des vérifications auxquelles vous ferez procéder à Paris, sur l'intérêt que présenterait, à mon sens, l'audition de Tassine Smaïl et de Celami Ali. J'ai vu le premier il y a trois semaines environ au Dépôt, mais je pense qu'il doit être, comme le second, à présent au camp de Saint-Maurice-l'Ardoise.

Je vous signale que j'ai vu au Dépôt celui auquel j'ai fait allusion, et qui, d'après un harki, aurait tenté de se suicider en s'enfonçant dans le ventre un débris de bouteille. Il doit se nommer Sakraoui.

Voici les conclusions du rapport d'expertise établi le 10 mars 1961, c'est-à-dire plus de trois semaines après les sévices :

1) Le nommé Leghma Djillali allègue des violences subies pendant quatre jours, qui ont consisté en coups de pied, coups de poing, pose de liens serrés aux poignets et aux chevilles, compression thoracique, tentative d'asphyxie et de strangulation.
2) L'examen que nous avons pratiqué ce jour ne montre aucune séquelle permettant de confirmer de façon absolue les déclarations du sujet; mais cette absence de constatation ne permet pas davantage de les infirmer (l'ancienneté des faits est trop importante pour permettre l'observation des traces d'hématome ou d'ecchymose). Toutefois, certaines douleurs siégeant en des points très précis nous incitent à demander qu'un examen radiologique de la cage thoracique soit pratiqué.

Quelques-uns parmi d'autres

Reproduisons maintenant, sans commentaire, quelques-unes des plaintes circonstanciées qui ne cessent d'arriver.

Hamida ben Hamida, arrêté le 18 février 1961 à son domicile, actuellement en résidence à Saint-Maurice, a adressé le 11 avril la plainte suivante au doyen des juges :

> … Dans la nuit du 18-1-1961, je fus appréhendé dans mon domicile, 58, rue du Vertbois, Paris IIIe. Après perquisition, aucune preuve n'a été retenue à mon encontre. Malgré cela je fus dirigé sur un centre de triage, en l'occurrence la Villette. Ensuite je fus transféré au 28, rue de la Goutte-d'Or, poste des harkis.
> Pendant toute ma présence dans ce lieu (soit quatre jours) j'ai subi toutes sortes de supplices, coups de pied et poing un peu partout sur mon corps. J'en ai été malade. Par ailleurs, je vous signale que j'ai assisté, durant ma présence dans ce « sous-sol pour tortures », au système de la bouteille appliqué sur mon ami et voisin qui fut arrêté dans les mêmes circonstances que moi. Je l'ai vu vomir du sang et perdre connaissance ; de là, il a été transféré à Noisy-le-Sec dans un état très grave. Depuis nous demeurons sans aucun signe de son existence. Aussi toujours pendant ma présence dans « la cave à tortures » j'ai entendu un harki dire qu'un détenu venait de succomber par suite de tortures. Par conséquent, je porte plainte pour ma séquestration arbitraire et j'entends me constituer partie civile.

Plainte déposée par Saïd el Hadj, partie civile, entre les mains du doyen des juges :

> … Je suis âgé de vingt-quatre ans et travaille en qualité d'ouvrier spécialisé chez Maglia, 36, rue Rivet à Levallois (Seine).
> J'ai été arrêté par cinq harkis le 24 décembre 1960 à 17 h 30, dans ma chambre, 5, rue Davoust à Pantin.
> Ma chambre fut perquisitionnée mais aucun document ou objet compromettant ne fut découvert.
> Je fus littéralement jeté dans une voiture Prairie et amené dans un poste, rue de la Goutte-d'Or, où je fus descendu à la cave.
> J'ai été libéré de cette cave le 6 janvier 1961.

Pendant tout mon séjour entre les mains des harkis, je fus frappé à plusieurs reprises, à coups de poing et coups de pied et ai subi le supplice de l'eau.

J'ajoute que je servis de valet de chambre à MM. les harkis. Puis j'ai été obligé, pendant tout mon séjour, de balayer et laver les escaliers, de laver la vaisselle, de nettoyer les WC et de monter le charbon.

J'ajoute que nous étions cinq personnes séquestrées dans la cave et qu'il n'y avait pour toute literie qu'un matelas posé à même le sol.

Les faits relatés ci-dessus constituent les infractions de violation de domicile, arrestation illégale, séquestration, coups et blessures volontaires.

J'ai l'honneur de solliciter l'ouverture d'une information contre X sous ces chefs d'inculpation et me constitue partie civile.

Arrêté au hasard d'une rafle, après un attentat, Rassoul Nacer a porté plainte au commissariat de la Goutte-d'Or le 7 décembre 1960.

Il a confirmé cette plainte pour coups et blessures, vol et violation de domicile, le 23 décembre, par lettre recommandée au procureur de la République.

Aucune suite n'ayant été donnée à ses plaintes, Rassoul Nacer a adressé au mois de mars 1961 une plainte au doyen des juges :

… J'exploite une épicerie-buvette au 9, rue de la Charbonnière à Paris, XVIIIe.

Le 3 décembre 1960 à 14 heures, trois harkis ont pénétré précipitamment dans ma boutique et dans l'arrière-boutique et ont procédé à une perquisition générale des lieux.

J'ai été frappé à coups de poing en présence de mon frère Rassoul Abderahmane.

Lorsque les trois harkis sont partis après m'avoir injurié et insulté, j'ai constaté la disparition d'une somme de 220 000 francs qui se trouvait dans le tiroir de la table de nuit dans l'arrière-boutique.

Je suis allé immédiatement voir l'officier des harkis qui m'a répondu : « Vous pensez à votre argent, alors que des gens meurent. Ou vous serez avec nous, ou je vous descends tous. »

> Les deux harkis qui ont volé les 220 000 francs furent appelés par leur supérieur, mais ils ont nié avoir pris de l'argent.
> Le 7 décembre, je suis allé au commissariat de la Goutte-d'Or, où j'ai déposé une plainte.
> J'ai confirmé ma plainte par lettre recommandée à M. le Procureur de la République le 23 décembre 1960.
> Les faits que je relate ci-dessus constituent les infractions de vol, coups et blessures volontaires, et violation de domicile.
> J'ai l'honneur de solliciter l'ouverture d'une information contre X sous ces chefs d'inculpation et me constitue partie civile.

Les Drs Lecœur et Martin ont examiné Rassoul Nacer les 5 et 7 avril, quatre mois après les violences. Il est donc normal que les experts n'aient pu constater aucune trace des coups reçus le 3 décembre. Mais ses blessures avaient été constatées et soignées par le Dr Dayan, 30, avenue de Messine.

Plainte déposée le 8 mars par Mohand Bachiri entre les mains du procureur de la République :

> … J'ai été arrêté par les harkis dans ma chambre le 17 janvier 1961 au matin. J'ai été conduit au poste des harkis situé au 9, rue Harvey, Paris XIIIe, où j'ai subi des tortures telles que le supplice de l'eau. J'ai reçu des coups jusqu'à perdre connaissance. Quelque temps après, ils m'ont fait boire une gorgée de liquide que je n'ai pas pu reconnaître (ni sa qualité, ni son goût). Après cette torture, ils m'ont tordu le pied, dont j'ai toujours la cheville qui ne s'est pas remise. Après cette première journée, je fus transféré au PC de la Goutte-d'Or. En arrivant je fus accueilli à coups de pied et de poing, jusqu'à être défiguré.
> Une fois descendu à la cave, le même jour, les harkis au nombre de quatre me répétaient le sévice de l'eau jusqu'à l'évanouissement et me reprenaient chaque fois que je me réveillais.
> Le deuxième jour de ma présence dans cette cave, j'ai subi la plus odieuse des tortures qui est la suivante : les mêmes harkis m'ont attaché à nouveau sur une planche, les mains et les pieds liés, et m'enfonçaient le goulot d'une bouteille, d'un quart, dans l'anus, après être déshabillé et mis sur le côté gauche. Pendant une

semaine j'étais battu tous les jours et une fois même, dans un bureau, j'ai été levé par un d'entre eux jusqu'à hauteur de sa tête et m'a laissé tomber à terre. Ces mêmes harkis m'ont déchiré un costume, dont veste et pantalon.
C'est pour cette cause que je porte plainte auprès de vous.

Voici les conclusions du rapport d'expertise établi le 6 avril par les Drs Martin et Lecœur, près de six semaines après les tortures :

Bachiri présente : des séquelles de traumatisme lombaire ; des séquelles d'entorse de la cheville droite ; des séquelles de traumatisme de la région temporale gauche ; des séquelles de traumatisme superficiel du poignet droit ; une lésion anale dont l'origine traumatique ne peut pas médicalement être affirmée.
Les séquelles notées au niveau du poignet droit et de la région lombaire sont la conséquence de traumatismes remontant à l'époque indiquée par Bachiri. Les séquelles de lésions traumatiques notées au niveau de la cheville droite et de la région temporale peuvent remonter à la date des sévices indiquée par Bachiri, mais il est médicalement impossible de l'affirmer.
La version des faits donnée par la victime est médicalement plausible.

Plainte déposée par Khaldi Madani, partie civile :

... Je suis âgé de vingt ans et réside en France depuis 1955.
J'ai été arrêté par six harkis le soir du 18 février 1961 à 20 heures, au café « Rousseau » à Barbès.
J'ai été amené sous escorte dans un poste de harkis de la rue de la Goutte-d'Or, et je fus jeté dans la cave après un interrogatoire sommaire d'identité.
Au bout de quelques heures, plusieurs harkis descendirent à la cave, firent monter d'autres séquestrés au premier étage et me lièrent alors les mains derrière le dos et les jambes.
L'un d'eux me bâillonna, ce qui me coupa la respiration.
Pendant que deux autres me maintenaient les épaules et les jambes, un autre me versait de l'eau sur le bâillon et un quatrième me serrait fortement le cou.

Comme j'étouffais, j'étais obligé d'avaler de l'eau.
Quand mon ventre fut plein d'eau, les harkis me frappèrent à coups de pied et de poing en m'insultant.
J'ai subi le supplice de l'eau à *six reprises* pendant les deux jours que j'ai passés dans la cave de ce poste de harkis.
Malgré l'état de faiblesse et de terreur dans lequel je me trouvais, mes tortionnaires me forcèrent à balayer leurs locaux, à laver la vaisselle et à nettoyer les escaliers.
Je suis en mesure de reconnaître mes tortionnaires, qui ont d'ailleurs torturé et séquestré sept autres compatriotes que j'ai trouvés dans la cave quand je suis arrivé.
La haine et la brutalité des harkis ne connurent pas de bornes lorsque j'ai refusé dès la première heure d'interrogation de revêtir l'uniforme des harkis.
En effet, ces derniers, qui m'interrogèrent sommairement, me dirent: « Tu es bête de ne pas travailler avec nous. Tu seras bien payé, tu n'as pas à avoir peur, et si tu veux, nous pourrons t'envoyer en Algérie. »
Le 20 février, j'ai été amené au centre de triage de Vincennes dans la soirée et je n'ai été libéré de Vincennes que le mardi 21 février à 18 heures.
Ci-joint un certificat médical qui a été établi dès ma libération et qui constate l'existence de blessures sur mon corps.
Les faits relatés ci-dessus constituent les infractions d'arrestation illégale, séquestration et coups et blessures volontaires.
J'ai l'honneur de solliciter l'ouverture d'une information contre X sous ces chefs d'inculpation et me constitue partie civile.

Certificat délivré à Khaldi Madani par le Dr Bensadoum, le 23 février 1961 :

Je soussigné Bensadoum Marc, docteur en médecine 37, boulevard de Clichy à Paris IXe, certifie avoir examiné ce jour M. Khaldi Madani demeurant 11, rue Germain-Pilon à Paris XVIIIe, qui m'a dit avoir été victime de coups au cours des journées du 18, 19 et 20 février 1961.
M. Khaldi présente :
1) Des éraflures du poignet droit, face antérieure. Épaule droite face antérieure. Coude droit face interne. Poignet gauche face postérieure.

2) Sur le coude gauche existent des éraflures et une plaie superficielle de la dimension d'une demi-paume de main.
3) Éraflures du dos.
4) Petite plaie de la région tibiale antérieure et mâchoire droite, éraflures malléole inter droite.
5) Éraflures tibiales antérieures, et ecchymoses de la dimension d'une pièce de cinq francs sur la région externe et supérieure du mollet gauche.
M. Khaldi accuse en outre une courbature généralisée et des céphalées assez violentes.

Plainte de Dahmouchene Achour, partie civile :

Je porte plainte contre les harkis en séquestration arbitraire et coups et blessures volontaires. Je me constitue partie civile.
Le 22 février 1961, à 4 heures du matin, je fus arrêté chez moi, 166, boulevard de la Villette à Paris.
Dans l'escalier, je fus frappé à la tête et reçus un coup de crosse d'un harki, très petit, maigre, brun de figure, âgé de vingt-cinq ans environ.
Puis je fus emmené avec sept compatriotes, qui se trouvaient déjà dans un car de police, au PC des harkis, 28, rue de la Goutte-d'Or.
Dans le café de la Goutte-d'Or, mes mains furent attachées derrière le dos avec une corde, puis l'on me descendit à la cave où l'on m'adossa au mur et trois harkis se servirent de moi comme d'une balle de punching-ball jusqu'à ce que je tombe à terre.
L'un d'eux est grand, de corpulence moyenne, kabyle, âgé de vingt-huit ans environ, un autre est de taille moyenne, un peu fort ; il a les cheveux noirs, des moustaches et deux dents en or à la mâchoire supérieure. Il est kabyle et a environ trente-deux ans. Le troisième est petit, costaud, a les cheveux frisés, deux dents en or et deux dents en argent. Il est âgé de trente ans environ. Il est arabe et a un galon sur son uniforme.
Après les coups, je fus allongé par terre sur le cadre d'une porte, et mes pieds furent attachés à ce cadre avec une corde. Je porte jusqu'à ce jour la trace de cette corde.
Un harki me mit un mouchoir sale sur le nez et sur la bouche et me versa de l'eau additionnée de savon et d'eau de Javel jusqu'à ce que

j'étouffe. Pendant ce temps, un autre harki assis sur mon ventre me donnait des coups dans les côtes et m'empêchait de respirer.
Puis je fus relevé, mis contre le mur et reçus à nouveau des coups de poing jusqu'à ce que je m'évanouisse. Je me réveillai allongé par terre, dans de l'eau, complètement trempé.
Je restai couché par terre jusqu'à environ 5 heures de l'après-midi. Pendant ce temps on torturait de la même façon que moi mes compatriotes et des disques étouffaient leurs cris. Je subis à nouveau le supplice de l'eau et reçus encore des coups de poing.
Puis on me fit monter au deuxième étage pour me questionner et le lieutenant me proposa même 700000 francs pour que je travaille avec eux. Devant mon refus, il me fit signer des papiers dont j'ignore le contenu. Je fus à nouveau emmené dans la cave jusqu'à 10 heures du soir, puis de nouveau questionné par le capitaine qui me montra des photos de personnes que je ne connaissais pas. Ensuite on m'emmena dans une autre cave, de l'autre côté de la rue, où je fus séquestré jusqu'à une heure du matin.
On nous mit six dans un car et les harkis nous emmenèrent dans divers hôtels. Comme ils ne trouvaient rien, le lieutenant nous dit dans le car: « Vous passerez un mauvais quart d'heure. » On m'enferma de nouveau avec mes compatriotes dans la cave, où je restai jusqu'au jeudi soir 7 heures. Pendant tout ce temps, les harkis nous empêchaient de dormir, et en nous disant: « Vous êtes dingues, vous n'obtiendrez jamais l'indépendance. Regardez-moi-ça, les soldats de M. Ferhat Abbas. » Nous leur avons répondu que nous n'étions pas des gens qui avaient vendu leur patrie.
Le lieutenant essaya une dernière fois de me faire parler le jeudi à 7 heures du soir, en me menaçant de m'envoyer à Vincennes. Je me taisais et fus relâché.

Le lendemain matin, Dahmouchene Achour fut admis à l'hôpital Dubois où il reste en traitement jusqu'au 28 février. L'assistant du Pr Flabien, qui l'examina le 24 février, certifie avoir constaté « une plaie contuse occipitale, plaies contuses au niveau des deux chevilles, thorax extrêmement douloureux, surtout à sa partie inférieure gauche ».

Sorti de l'hôpital, Dahmouchene n'est pas guéri. Le Dr Romascheff, 43, rue du Général-Brunet, l'examine le 8 mars

1961 ; il lui remet le certificat suivant qui confirme les précédentes constatations :

> Je soussigné N. Romascheff, médecin traitant, docteur en médecine, certifie avoir examiné ce jour M. Dahmouchene Achour, né le 23-9-1936, domicilié 166, boulevard de la Villette, Paris XIXe, qui présente des traces de blessures à la face interne de la cheville droite avec douleur à la pression, rendant la marche et la station debout pénibles, ainsi que des douleurs à la pression au niveau des deux rebords costaux et à la partie antérieure du thorax droit. Il présente en outre une forte bronchite. L'ensemble de ces troubles entraîne une incapacité de quinze jours sauf complication.

Dahmouchene Adour a confirmé le 29 mars, devant le juge Perez, les termes de sa plainte. À la fin de son audition le juge fait noter :

> Nous mentionnons que la partie civile nous montre sa cheville droite, qui présente des excoriations qu'elle affirme avoir été produites par les liens avec lesquels elle a été attachée au cadre de la porte.

Extraits du rapports d'expertise établi par les Drs Martin et Lecœur, le 23 mars, soit un mois après les tortures :

> *État actuel* (un mois après les tortures). Actuellement, l'intéressé se plaint de douleurs généralisées, de vomissements à la moindre ingestion alimentaire, de toux continuelle.
> *Examen.* Il existe une petite induration de la région occipitale médiane, douloureuse à la pression.
> Au niveau de la cheville droite, à 2 centimètres, on note une cicatrice très visible, transversale, mesurant environ 9 centimètres de longueur sur 1 centimètre de largeur. Elle est violacée, non adhérente, mais très sensible. Sur la malléole, il s'en trouve une autre, plus petite, mesurant 1 centimètre. Elle aussi transversale.
> À la cheville gauche, on ne remarque aucune trace cicatricielle, mais la palpation de cette région est douloureuse.
> À l'examen du thorax, on ne met en évidence aucune cicatrice, mais par contre la pression de la base des côtes et du creux épigastrique est très douloureuse.

Les documents médicaux qui nous sont présentés et nos propres constatations constituent des éléments qui permettent d'ajouter foi aux déclarations du plaignant. Toutefois, en ce qui concerne l'ingestion brutale de grande quantité d'eau, ce type de sévice ne laisse habituellement aucune trace, et il n'est point étonnant que nous ne puissions en faire la preuve.

Plainte déposée par Bedhouche Boualam, partie civile :

... Je réside en France depuis cinq ans et suis employé depuis deux ans en qualité de maçon à l'entreprise Moinon, 57, rue de Colombes à Nanterre.
Le 20 janvier 1961, à 0 h 30, se sont présentés dans ma chambre, 22, passage Duhesme, une douzaine de harkis.
La perquisition qui a été effectuée n'a permis de découvrir aucun objet ou document compromettant.
Les harkis me jetèrent dans une fourgonnette de police et me portèrent des coups de poing et des coups de pied.
Je fus amené 25, rue de la Goutte-d'Or, où l'on m'interrogea sur un autre Algérien que je connaissais de vue.
Je fus confronté avec deux autres Algériens que je sus par la suite se prénommer Saïd et Hocine et qui étaient dans un état physique pitoyable.
Mon interrogatoire dura jusqu'à trois heures du matin et les coups de poing et les coups de pied ne cessèrent de pleuvoir sur moi.
Vers 4 heures du matin, je fus descendu à la cave et l'un des harkis m'arracha mon blouson de cuir et me lia les pieds et les mains.
Je fus couché et attaché sur une porte qui était posée par terre.
Une serviette fut appliquée fortement sur mon nez et sur ma bouche et pendant qu'un harki me serrait à la gorge, ce qui me coupait la respiration, un autre versait de l'eau sur la serviette.
... Le 20 janvier à 13 heures, trois harkis s'emparèrent de moi et se mirent à m'insulter.
Ils m'ordonnèrent de m'accroupir et pendant que l'un d'eux me liait les jambes ensemble et me les maintenait, un deuxième posa une bouteille par terre et un troisième appuya sur mes épaules pour que la bouteille pénètre dans mon anus.

Au bout de quelques minutes, la douleur fut si forte que je m'évanouis alors que mes tortionnaires, dont l'un d'eux s'appelait Chemial, riaient et plaisantaient grossièrement. À un certain moment je me réveillai sous un jet d'eau provenant d'un seau que l'un des harkis versait sur moi.

Le lendemain à 14 heures je fus de nouveau empalé sur une bouteille.

Pendant sept jours, mes tortionnaires continuèrent à me frapper et ne me touchèrent plus à partir du 27 janvier pour laisser le temps aux traces de disparaître.

Le 2 février à 14 heures, je fus libéré et regagnai mon domicile.

Un médecin appelé à mon chevet me fit transporter d'urgence à l'hôpital Bichat.

Je suis sorti de l'hôpital le 3 mars 1961 et dois y retourner.

Les faits que je relate ci-dessus constituent les infractions de violation de domicile, arrestation illégale, séquestration illégale, coups et blessures volontaires et menaces de mort.

Je sollicite l'ouverture d'une information contre X et me constitue partie civile.

Voilà la copie du certificat délivré par le Dr Bogoraze qui a examiné Bedhouche Boualam le 6 mars 1961, six semaines après les tortures :

Je soussigné Dr Bogoraze, docteur en médecine, 42, boulevard Arago, Paris XIIIe, déclare avoir examiné ce jour M. Bedhouche Boualam, 22, passage Duhesme, Paris XVIIIe, se disant avoir été séquestré par des harkis depuis le 20 janvier 1961 au 3 février 1961 après un séjour à l'hôpital Bichat jusqu'au 3 mars. Il se présente actuellement comme un homme souffrant de sa région anale, il ne peut pas en effet s'asseoir d'aplomb sur une chaise, il s'assoit toujours sur une fesse, la fesse gauche, le blessé dit ne pas pouvoir aller à la selle spontanément.

L'examen montre la hanche droite et la cuisse droite très douloureuses, toute la masse musculaire est douloureuse à la palpation. J'ai constaté un spasme du muscle de la muqueuse de l'anus, le toucher rectal est très douloureux à l'anuscope. La muqueuse est lisse, déportée, avec des suffusions sanguines et des ecchymoses. Les matières se trouvent à 7 centimètres de l'anus.

Ces lésions entraînent une incapacité du travail de deux mois sauf complications ou rechutes.

La chasse aux militants du FLN n'est souvent qu'un prétexte pour les harkis qui arrêtent, frappent et volent pour leur compte personnel. Un exemple : celui d'Aït el Djoudji, arrêté le 9 mars 1961 par des harkis qui l'ont frappé, lui ont volé l'argent et divers objets qu'il avait sur lui et l'ont laissé pour mort sur un trottoir, dans une rue du XVIIIe.

Plainte déposée le 11 mars par Aït el Djoudji, partie civile :

> Je porte plainte contre les harkis en coups et blessures volontaires et vol. Je me constitue partie civile.
> ... Le 9 mars 1961, vers 18 heures, alors que je prenais l'air à côté du jardin des Buttes-Chaumont et que je regardais le journal, je fus abordé par trois harkis en civil, accompagnés d'une voiture de police. Ils m'ont demandé mes papiers, comme je les tendais, ils m'ont dit : « Tu sais bien que nous ne savons pas lire, alors lis toi-même. » J'ai répondu que je ne savais pas lire non plus. J'ai donné mon nom. Ils m'ont demandé ce que je faisais là. J'ai répondu que je prenais l'air. Ensuite, ils m'ont demandé si je travaillais, j'ai dit que oui, mais que j'étais en congé-maladie.
> Ils m'ont dit : « Tu payes au FLN. » J'ai dit que non. Alors, ils ont sorti leurs revolvers qu'ils m'appuyèrent sur le ventre et sur le dos, en me disant : « Dis que tu payes ou on laissera ici ta merde. » J'ai dit que je payais.
> Ils m'ont emmené jusqu'au car qui était rue Nationale puis au PC de la rue de la Goutte-d'Or.
> Là-bas les harkis m'ont demandé : « À qui tu payes ? » J'ai répondu que je ne payais pas et que je n'avais dit cela que par peur d'être tué par eux.
> Deux officiers, un Français et un Algérien, me demandèrent alors : « Pourquoi as-tu dit que tu payais, dans le jardin ? » « Par peur des harkis qui me menaçaient, mais au poste, je suis en sécurité. »
> À ce moment un harki qui était derrière moi me donna un coup de poing violent sur la figure. Au deuxième coup, j'ai dit : « Arrête monsieur, s'il te plaît. » Au troisième coup, je me suis défendu à

coups de poing. Alors tous les harkis (environ une vingtaine) se sont précipités sur moi et me frappèrent à coups de poing et coups de pied, sur la face et sur tout le corps. Je tombai et m'évanouis.
Je ne repris connaissance qu'à 2 heures du matin. J'étais allongé sur le trottoir et ne savais où j'étais. Il me manquait mon manteau trois-quarts, mon foulard, mon stylo et 2000 francs.
Le lendemain matin, j'ai été au commissariat des Buttes-Chaumont. Je me suis plaint au commissaire. Il m'a répondu qu'il ne pouvait rien faire, que ce n'était pas son quartier. Il m'a donné l'adresse du commissariat du XVIIIe près de Château-Rouge.
J'y suis allé. J'ai demandé à parler au commissaire. Il doit avoir environ trente-cinq ans, est maigre, a les cheveux noirs, lisses.
Je lui ai expliqué que j'avais été frappé et volé par les harkis. Il a téléphoné aux harkis et leur a demandé s'ils avaient arrêté un compatriote la veille à 18 heures. J'entendais les réponses ; ils ont dit « oui ». Le commissaire a demandé pourquoi ils m'avaient arrêté et volé mes affaires. Ils ont répondu : « Comment il n'est pas mort ? Gardez-le, on va s'occuper de lui. » Le commissaire m'a dit : « Asseyez-vous cinq minutes. »
Alors que deux femmes rentraient, j'en ai profité pour partir sans que l'on me voie.
Je joins un certificat médical constatant les traces de sévices que j'ai subis.

Certificat médical fourni par Aït el Djoudji :

Je soussigné Allaix Henri, docteur en médecine, domicilié 54, rue du Four, Paris VIe, certifie avoir examiné ce jour-ci M. Aït el Djoudji âgé de vingt-six ans, domicilié 6 bis, passage Montenegro à Paris XIXe, lequel m'a déclaré avoir été victime de sévices le 9 mars à 19h30, sévices ayant consisté en coups de poing et coups de pied.
Aujourd'hui, je constate une ecchymose avec hématome palpébrale, paupière inférieure droite, et léger œdème de la joue droite.
J'estime à huit jours environ le laps de temps utile à la guérison, en date d'aujourd'hui.
En foi de quoi je délivre le présent certificat.

Il est impossible de publier toutes les plaintes, tous les témoignages recueillis. Ceux qu'on vient de lire, par l'abondance des détails, des précisions matérielles, des noms fournis, par la confirmation des rapports d'expertise, par l'absence, enfin, de toute réaction des autorités, de tout démenti des policiers mis en cause, paraîtront peut-être suffisamment éloquents.

Il s'agit pourtant des cas les moins « graves », puisque les victimes ont échappé à la mort. D'autres sont morts sous la torture, se sont suicidés ou ont été abattus. À jamais « disparus », comme les centaines d'Algérois du « Cahier vert »[1].

Ainsi de Khellaf Ayachi, disparu depuis le mois de mai 1960. Le frère de la victime, Khellaf Ali, a porté plainte contre X pour homicide volontaire auprès du doyen des juges. Voici sa lettre :

> … Mon frère Khellaf Ayachi qui était domicilié avec moi 131, rue Brancion à Paris XVe, a été arrêté en même temps que moi-même et qu'une vingtaine d'autres Algériens le 31 mai 1960 à 21 h 30 dans un café proche de notre domicile.

---

1. NDLR. – Le « Cahier vert » est le cahier d'écolier sur lequel, en août 1959, à Alger, les avocats Jacques Vergès et Michel Zavrian recueillirent les plaintes de dizaines et de dizaines de familles de « disparus » qui affluèrent à l'improviste, durant plusieurs jours, à l'hôtel où ils se trouvaient. Son texte a été publié dans *Les Temps Modernes*, septembre et octobre 1959 (n° 163 et 164).

Nous fûmes tous emmenés au poste de police Plaisance puis transférés au centre de triage de Vincennes d'où nous fûmes libérés le lendemain.
Seul mon frère Khellaf Ayachi resta au poste de police et il y a été vu sans connaissance et ensanglanté par un sieur Menacara Abderahmane et plusieurs autres compatriotes.
Mon frère était étendu par terre et j'ai de bonnes raisons pour croire qu'il était déjà mort.
Pour ma part, je l'ai vu être frappé à coups de poing et à coups de pied par les harkis et traîné par terre.
Depuis le mois de mai, je suis sans nouvelles de mon frère et souhaiterais que ses tortionnaires soient entendus afin qu'ils donnent toutes explications.
Les faits que je relate constituent l'infraction d'homicide volontaire.
Je porte plainte contre X et sollicite qu'il soit fait application de la loi pénale à l'auteur et aux complices de ce meurtre.

Officiellement Khellaf Ayachi a été relâché par les harkis le 1er juin, à minuit. Personne ne l'a jamais revu.

Les apprentis sorciers de la guerre subversive

Ces plaintes, ces expertises, ces certificats médicaux, nous les versons donc au dossier encore incomplet des exactions des agents de la « police auxiliaire ». Quelques-uns de ces témoignages ont été déjà publiés. Chaque fois, le préfet de police a fait saisir les journaux qui avaient voulu poser devant l'opinion la question des sévices et des disparitions en plein Paris. Il ne faut pas que les Français sachent qu'on torture, à leur porte, avec le même entrain que jadis les hommes de la Gestapo. Après *L'Humanité*, *Témoignage chrétien* est saisi le 16 mars, *Réforme*, le 25, *Les Temps modernes* le 1er avril. Le sujet est tabou. Mais empêcher que les choses soient dites ne suffit pas à les empêcher d'exister. La seule vraie question qui demeure posée est celle-ci : est-il vrai qu'en 1961 des hommes sont torturés, des hommes disparaissent chaque jour à Paris ? Les documents produits sont-ils vrais ou sont-ils faux ?

M. Papon évite de répondre, et s'en tire par des pirouettes. « Ces calomnies passent curieusement de l'indicatif au conditionnel », ironise-t-il et il prétend tirer de la monotonie des faits évoqués une preuve de leur inexistence. Mais nous écrivons à l'indicatif. Et si, dans chaque affaire, on retrouve toujours les mêmes formes de sévices c'est tout simplement que l'outillage des tortionnaires est chaque fois le même : poutres, vieilles portes, cordes, bouteilles d'eau et de Javel.

Une seule réplique, en vérité, serait concluante : une plainte, une enquête, un procès au grand jour. Mais en dépit des précisions fournies par les victimes, le préfet de police se garde bien d'ordonner la moindre enquête sur la manière dont les supplétifs s'acquittent de leur tâche. Il se borne à faire leur apologie et réaffirme (le 17 mars 1961) : « Je maintiendrai le dispositif mis en place, et dont le besoin se faisait hautement sentir dans certains quartiers de Paris et dans certaines communes de banlieue, afin de neutraliser en profondeur l'organisation rebelle qui faisait régner la terreur sur les travailleurs musulmans. »

C'était déjà le principe de Massu lors de la « bataille d'Alger ». En d'autres termes : seul le résultat compte, peu importent les moyens. Les moyens, on les connaît donc. Quant au résultat, les journées algéroises des 11 et 12 décembre 1960 en ont montré la vanité. Mais les mythes de la répression sont indéracinables. Aujourd'hui comme hier, à Paris après Alger, la « police parallèle », par sa clandestinité, sa brutalité, par l'impunité qu'on lui assure, donne aux techniciens amateurs de la guerre subversive l'illusion de l'efficacité. Deux préoccupations s'y ajoutent. L'une est ouvertement raciste. En opposant des Algériens à des Algériens, l'oppresseur garde les mains propres et tente de déchirer, contre elle-même, la communauté opprimée. Ainsi les Allemands, dans les camps de concentration, dressaient-ils les « droit commun » contre les déportés politiques, ou confiaient-ils à une police juive le soin de désigner les Juifs pour l'abattoir. L'autre est d'ordre politique. En ce printemps 1961 où le gouvernement français proclamait sa volonté de négocier avec le GPRA et parlait volontiers de « trêve », il a voulu suspendre, apparemment, le cours de la justice: ralentir l'action policière, éviter les procès publics, donner l'impression de l'apaisement. Officiellement, en effet, depuis six mois, la répression est en recul: il y a moins de poursuites judiciaires, moins d'arrestations, moins de condamnations d'Algériens. C'est que, dans l'ombre, le « supplétif » s'est substitué à la justice.

Les harkis, eux, n'ont rien à ménager, rien à perdre que leur uniforme de mercenaire et le salaire de la trahison. Ils ont même tout à redouter d'une solution pacifique de la guerre d'Algérie, puisque sans la guerre et la répression ils ne sont plus rien: ni algériens, ni français. Méprisés par ceux qui les utilisent, rejetés de la communauté algérienne, ils s'acharnent avec d'autant plus de violence sur leurs compatriotes qu'ils assassinent en eux leur propre image perdue; ils tentent d'effacer ce qu'ils ne peuvent plus être, ils fuient désespérément ce qu'ils sont devenus: les faux frères...

Cette nuit-là à la Goutte-d'Or...

« Bien entendu, l'émigration algérienne unanime ne saurait rester passive devant les agissements de ces nouveaux mercenaires du colonialisme. Sa réaction est prévisible. Elle sera légitime.

« Attirant l'attention de l'opinion publique contre la nouvelle manœuvre gouvernementale qu'est la création des "calots bleus", la Fédération de France du Front de libération nationale rejette sur les autorités françaises l'entière responsabilité des conséquences qui s'ensuivront.

« Quant au FLN, il adoptera devant ces "harkis" d'une nouvelle espèce l'attitude adéquate, avec sa fermeté et sa discipline habituelles. »

Communiqué de la Fédération
de France du FLN,
le 11 avril 1960.

De fait, depuis un an, des commandos du FLN ont attaqué à plusieurs reprises les différents PC de la police auxiliaire parisienne. Les trois attentats commis contre les harkis le 21 mars et le 1er avril 1961 auraient été particulièrement meurtriers. Pour se venger, les supplétifs se sont livrés à une véritable « ratonnade » dans le quartier de la Goutte-d'Or, dans la nuit du dimanche (2 avril) à lundi, lundi après-midi et dans la nuit de lundi à mardi.

Bilan de l'opération :

127 blessés graves, plus 300 Algériens molestés ou blessés légèrement, 32 établissements saccagés et pillés, 45 autres dont les vitrines sont brisées.

Mais cette fois M. Papon n'a pas trouvé opportun de publier un communiqué de victoire, Non. Il a même fait saisir *Libération* (5 avril) qui publiait l'enquête menée par Jacques Flurer à la Goutte-d'Or.

C'est précisément pour évoquer « ce qui s'était passé » les 2 et 3 avril qu'une trentaine de commerçants – dont une dizaine, algériens et marocains – ont eu le courage de convoquer une véritable conférence de presse au café *Le Métro*, boulevard de la Chapelle. Jacques Flurer y assistait. Voici ce qu'il écrit :

« Voici pris, *in extenso*, quatre témoignages courts, concis, précis et remplis de faits contrôlables qui en disent plus long que tout commentaire.

D'abord celui de M. Villeneuve, hôtelier à la Goutte-d'Or depuis douze ans :

> Dimanche soir, à partir de 22 h 30 jusqu'à 24 heures, plus de 100 harkis, par groupes de 10, se sont répandus dans le quartier de la Goutte-d'Or et ont lynché tous les Nord-Africains et tous les gens au teint basané qu'ils rencontraient, sans distinction de nationalités (Martiniquais, Italiens, Espagnols et même les Noirs y sont passés). D'autre part, les harkis, qui s'étaient munis de barres de fer ou brandissaient la crosse de leur mitraillette et de leur revolver, ont saccagé tous les cafés à forte clientèle nord-africaine.
>
> Lundi, dès l'aube jusqu'à la nuit, ils ont molesté et blessé à nouveau les passants et saccagé à nouveau certains établissements.
>
> En ce qui me concerne, dans mon café-hôtel, 31, rue de la Charbonnière (60 chambres occupées, dont seulement 22 par des locataires algériens), une dizaine de harkis sont venus dimanche soir, à 23 heures. J'avais fermé mon établissement dès le début de la fusillade, mais les volets de bois n'étaient pas encore posés. Alors j'ai entendu de l'intérieur de mon hôtel un bruit de glaces. J'ai appelé police secours : "Débrouillez-vous", m'a-t-on répondu. Ensuite j'ai appelé la Préfecture de police, où l'on m'a dit : "C'est inadmissible qu'on ne vous envoie personne au commissariat.

> Nous, on va vous envoyer quelqu'un." En effet, à 23h45, trois voitures de pompiers de la caserne Château-Landon sont arrivées devant ma porte et les pompiers ont fermé le compteur à gaz et m'ont aidé à mettre les volets en bois. Pendant ce temps, les harkis, de l'autre côté de la rue, après avoir détruit mes deux vitrines ainsi que toute la verrerie derrière le comptoir, ne sont partis ostensiblement que dix minutes après le départ des pompiers.

« Mme Akkaz, commerçante à la Goutte-d'Or depuis quatorze ans, prend la relève :

> J'ai un café-friterie, 84, boulevard de la Chapelle. Vers 10h30, dimanche, mes vitrines ont été détruites alors que mon établissement était déjà fermé depuis le début de la fusillade. Quant à mon autre café-restaurant, 27, rue de la Charbonnière, que j'ai fermé pour ma tranquillité depuis un an et demi, toutes les vitrines ont sauté. Dans le salon de coiffure attenant, toutes les vitrines ont été également cassées, ainsi que les chauffe-eau, placards, fauteuils, etc. Et ils ont volé tous les parfums.

« Le patron du café *Le Métro* où se tient la réunion intervient à son tour. Il est modeste, le patron : "Vu ce qu'ont enduré les autres, moi ce n'est rien", dit-il. Toutefois, il a quand même eu sa vitrine cassée au moment de Noël, le 28 décembre dernier, à 17 heures, par des supplétifs qui se lançaient à la poursuite d'un voleur à la tire :

> J'ai écrit à M. Papon et, un mois après environ, un inspecteur de la Préfecture de police est venu me voir. Je lui ai expliqué qu'il s'en était fallu de 5 centimètres pour qu'une balle qui avait perforé ma vitrine ne tue net un de mes clients. L'inspecteur de la préfecture a hoché la tête d'un air entendu et s'est retiré sans mot dire. Depuis, je n'ai plus entendu parler de rien.

« Autre témoignage, celui d'un hôtelier de la rue de la Goutte-d'Or : "Un de mes clients a eu, l'autre soir, le tendon du poignet droit coupé à coups de couteau par des harkis. Maintenant il est à l'hôpital Lariboisière."

« Parlons donc un peu de l'hôpital Lariboisière. C'est là qu'un médecin-chef m'a confirmé ce que l'on m'avait communiqué de source officieuse :

> Il y a eu, dimanche et lundi, plus de 150 interventions chirurgicales à l'hôpital Lariboisière où, dès lundi après-midi, on n'acceptait plus les blessés qu'on a envoyés à l'annexe de l'hôpital, à l'hôpital Dubois. D'ailleurs dès lundi matin, on avait téléphoné à la Préfecture de police pour leur signaler que s'ils ne faisaient pas « arrêter cette boucherie » on ne répondait plus de rien.

Un tragique bilan

« "Alors que voulez-vous savoir encore ? m'a dit Ahmed... Mon nom ? Je n'ai pas peur de le proclamer. Je suis un Algérien établi à la Goutte-d'Or depuis douze ans et je m'appelle Ahmed D..." (Suit son nom complet. Ahmed n'a pas eu peur de me le dire. Mais moi j'ai peur de le répéter. Aussi je ne l'écrirai pas.)

« Ahmed, à l'issue de cette conférence de presse insolite, m'a conduit dans le quartier de la Goutte-d'Or où il est partout connu. Il m'a tout montré. J'ai vu tous les établissements dévastés. Rue de la Charbonnière, au numéro 8, le café de Mme Vve Radjou, au 20, *La Ville d'Oran* appartenant à M. Chelil, patron depuis dix ans, au 21, le *Mucho*. Plus loin, au 23, le café de M. Djab, patron depuis neuf ans ; rue de Chartres, au 2, au 5, au 8 et, plus loin, au 13, salon de coiffure criblé de balles, au 21, l'hôtel de Mme Trévisse, *Le Soleil Levant*. Boulevard de la Chapelle, au 38, le café *El Badja*, au 104, le *Chango Bar*, un peu plus loin le *Café Pierrot*, de M. Imounouri, patron depuis quatorze ans, au 84, l'hôtel *Chez Louisette*... Mais à quoi bon les citer tous, ce n'est qu'une suite de dévastations.

« Partout, comme m'a dit M. Djab, "ils ont brisé les volets de bois, cassé les vitres, volé les bouteilles, brisé le percolateur et l'appareil à disques. Ils ont même pulvérisé le téléphone qui appartient pourtant aux P. et T.".

« Seules, dans le quartier de la Goutte-d'Or, les filles de joie n'ont pas cet air terrifié qui est maintenant celui de tous les habitants. Il est vrai qu'on dit volontiers – et les policiers français le confirment – que les harkis les "protègent".

« Citons, pour finir, les noms du capitaine Raymond Montaner, officier des Affaires algériennes et commandant de la police auxiliaire (c'est-à-dire des harkis), et celui du commandant Montsabert qui, de son PC de la rue de la Goutte-d'Or, peu après l'arrivée des harkis, a convoqué, vers la mi-novembre un après-midi, tous les commerçants du quartier : "Il nous a fait un laïus dans son PC, *Chez Ferhat*, m'a expliqué M. Villeneuve. Entre autres paroles aimables, il nous a dit qu'il savait fort bien que, parmi nous, certains commerçants étaient des sympathisants des Algériens. Mais, a-t-il ajouté, toutes nos pétitions iraient au panier et toutes nos plaintes, même adressées au commissariat de police métropolitain, seraient sans suite..."

« Cela, au moins, c'est exact puisque *Chez Ferhat* on a mis dehors, hier après-midi, deux inspecteurs de police qui venaient de la part de M. Papon. »

On le voit : en dépit des représailles auxquelles ils s'exposent, plusieurs commerçants européens et algériens n'ont pas craint de témoigner publiquement. Les accusations qu'ils ont portées contre les supplétifs, ils les ont renouvelées et précisées en portant plainte entre les mains du doyen des juges.

Plainte de Mme Akkaz :

Monsieur le Doyen des juges,
Je porte plainte entre vos mains contre les harkis et me constitue partie civile en raison des faits suivants :
Je suis propriétaire d'un café sis au 27 de la rue de la Charbonnière à Paris, et copropriétaire d'un salon de coiffure sis à la même adresse, et d'un café-friterie sis au 84, boulevard de la Chapelle.
Le dimanche 2 avril 1961 vers 22 heures, alors que j'étais au rez-de-chaussée de mon hôtel du 88, boulevard de la Chapelle, j'enten-

dis des coups de feu. Je dis immédiatement aux employés de ne pas sortir et fermai les portes et volets de l'hôtel.
Je montai au premier étage regarder ce qui se passait et vis des Algériens, des harkis et des policiers français qui couraient. D'autres policiers faisaient dévier les voitures.
Quelque temps après, un locataire, M. Rachid Zerari, qui habite sur la cour vint me dire : « Madame, j'entends qu'on casse les vitres. »
Je traversai la cour pour aller à mon café, dans l'autre groupe d'immeubles du 27, rue de la Charbonnière. Je m'étais fait accompagner de mon employé Mohamed Abdelkader.
Je vis que toutes les vitres de mon café étaient brisées et que des balles avaient été tirées dans la vitrine. En face, à droite, une quinzaine de harkis en uniforme et environ cinq en civil finissaient de briser les carreaux du café de « La Ville d'Oran ». D'autres tentaient de fracturer la porte d'entrée d'un immeuble de la rue de la Charbonnière, voisin de « La Ville d'Oran ».
À ma gauche, trois harkis en uniforme armés de mitraillettes, qui rasaient le mur, entendirent ma voix et vinrent dans ma direction. J'eus peur pour mon employé et lui dis : « Descends au bureau de l'hôtel, je ne voudrais pas qu'il t'arrive du mal. » Je pris conscience par la suite qu'il était préférable que je fasse de même, et revins au 88, boulevard de la Chapelle.
Il était environ 23 h 10. Un groupe de harkis en civil cassait les vitrines du café du 90, boulevard de la Chapelle. Aucun agent de la vigie ne s'y opposait.
J'ai su par M. Villeneuve, qui demeure au 92, boulevard de la Chapelle, qu'il avait demandé de l'aide à la vigie de la rue Fleury et que celle-ci lui avait répondu : « Démerdez-vous avec vos Bicots. »
Il avait alors téléphoné à la Préfecture de police. On lui avait répondu que c'était inadmissible et que l'on faisait le nécessaire ; quarante minutes après, trois voitures de pompiers de la caserne Château-Landon étaient venues et les pompiers avaient fermé le gaz.
Le lendemain matin vers 8 heures, j'allai constater les dégâts.
Les vitrines de mon café, 27, rue de la Charbonnière, avaient été brisées à coups de crosse et par des balles (j'en ai retrouvé une dans le couloir). Toutes les vitrines du salon de coiffure étaient également cassées, ainsi que le soubassement de la porte et des vitrines.

Les fauteuils avaient été renversés, la marchandise avait disparu et des tessons de bouteilles jonchaient le sol et la rue. Toutes les vitres du café et de la friterie du 84, boulevard de la Chapelle étaient également cassées.
Le quartier était dévasté. Il y avait du verre cassé partout sur le trottoir et dans les rues, ainsi que des balles. Beaucoup d'Algériens avaient été blessés. M. Drici Mohamed avait reçu une balle dans la gorge. M. Bouchelaghem avait eu le tendon d'un bras coupé. M. Amiche avait reçu une balle dans le dos. Il y en avait bien d'autres encore.
J'ai fait faire un constat des dégâts matériels avec photographies par Me Dalmas, huissier.
Je porte plainte en bris de clôture.

Plainte de M. Atmani Djilalil :

Monsieur le Doyen des juges,
J'ai l'honneur de porter plainte entre vos mains contre les harkis et me constitue partie civile en raison des faits suivants :
Dimanche 2 avril, j'ai fermé à 20h30 le café, 23, rue de la Charbonnière, dont je suis copropriétaire et suis monté au deuxième étage me coucher. Vers 22h30, j'ai entendu des coups de feu et ai vu par la fenêtre des harkis en civil et en uniforme qui se battaient entre eux. Ils montèrent dans l'hôtel puis redescendirent. Vers minuit, j'ai entendu à nouveau du bruit ; les harkis parlaient dans la rue et défonçaient les portes des cafés. Je les ai vus défoncer la porte du café du 20 et les ai entendus tout casser dans mon café.
Les habitants de l'hôtel m'ont dit que les harkis avaient emmené mon plongeur Drici Mohamed qui dort au premier étage. Mme Piénove, qui habite en face, a vu les harkis lui donner des coups. Il avait le visage en sang. Dans la rue, les harkis lui ont tiré une balle dans le cou.
J'ai entendu dire qu'au poste de la rue Fleury il y avait plus de 150 blessés.
Dans mon café, les harkis ont tout cassé. Ils ont défoncé le rideau de fer, qu'ils ont tordu, cassé les vitres dont les débris jonchaient le sol, brisé la machine à café et arraché les fils du téléphone.

J'ai fait constater ces dégâts par Me Dalmas, huissier près le tribunal civil de la Seine. J'ai fait faire des photographies constatant l'état de mon café après le passage des harkis.
Je porte plainte en bris de clôture, et destruction volontaire.

Plainte de Dahmouchene Benali :

Monsieur le Doyen des juges,
Je porte plainte contre les harkis entre vos mains et je me constitue partie civile en raison des faits suivants :
Le dimanche 2 avril 1961, j'étais avec ma femme et une douzaine de clients dans mon café-restaurant, 5, rue de Chartres, lorsque, vers 22 h 10, on entendit des coups de feu. La moitié des clients sont sortis.
Puis les harkis sont rentrés et nous ont dit de sortir les mains en l'air pendant que la fusillade continuait et ils nous firent aligner face au mur des maisons dans la rue. Puis ils nous firent entrer dans le couloir du 13 de la rue de Chartres, toujours les mains en l'air sur la tête. Puis ils nous dirent de monter au quatrième étage. Là, un Martiniquais nous ouvrit sa porte et nous abrita dans sa chambre.
Vers 11 h 45, des harkis moitié en civil, portant leur brassard, moitié en tenue, firent sortir tout le monde de l'hôtel en nous frappant à coups de pied, de poing, de crosse.
Puis ils nous firent traverser la rue en file, deux par deux, encadrés par eux et ils nous emmenèrent au poste du 29, rue de la Goutte-d'Or.
Là, il y avait une dizaine d'Algériens, ils nous jetèrent à terre et nous frappèrent à coups de balai, de crosse et de chaise.
Un Algérien de trente-deux à trente-trois ans, qui habite au 13, rue de Chartres, eut la figure en sang et la tête ouverte.
Un quart d'heure plus tard, un car nous emmena à Vincennes où, en arrivant, nous retrouvâmes une quarantaine de compatriotes dont la plupart étaient blessés. Il y avait là un homme qui avait la veste trouée par derrière et deux balles dans le dos. C'étaient les harkis, paraît-il, qui avaient tiré sur lui en l'emmenant à Vincennes.
Je fus relâché de Vincennes le lundi 3, à 15 h 30.
En arrivant au café, ma femme et mes deux enfants me dirent que les harkis avaient tout cassé dans le café ; ils avaient tiré sur les

glaces, cassé la porte qu'ils avaient enfoncée, des morceaux de verre brisé jonchaient le sol.
Je fis faire un constat des dégâts par Me Dalmas, huissier.

Plainte de Chelil Mohamed:

Monsieur le Doyen des juges,
J'ai l'honneur de porter plainte entre vos mains contre les harkis et de me constituer partie civile en raison des faits suivants:
Le dimanche 2 avril 1961, j'étais, vers 22h45 à mon domicile au 20, rue de la Charbonnière, lorsqu'un policier français entra, fouilla l'appartement, puis m'enjoignit de laisser la porte ouverte pour permettre aux harkis d'entrer.
Un groupe de harkis en uniforme accompagné d'inspecteurs français en civil entrèrent en effet alors et se mirent à tout fouiller.
Un inspecteur français me demanda alors si j'étais nord-africain, je lui répondis que oui. Aussitôt un harki se jeta sur moi et me frappa du canon de son revolver sur la poitrine, pendant que d'autres me jetèrent à terre où ils me frappèrent à coups de poing et de pied. Une voisine européenne intervint alors et leur dit: « Laissez-le, il est malade. » Les harkis répondirent: « Rentrez chez vous, cela ne vous regarde pas. » Ils me jetèrent alors sur le palier et fouillèrent tout l'appartement avant de monter aux autres étages, occupés par des Européens, où ils procédèrent aussi à des fouilles.
Lorsque je rentrai dans mon appartement après leur départ, je vis que ma montre en or, qui était sur la cheminée, avait disparu. De chez moi j'entendis les harkis briser toutes les vitres et les glaces de mon café qui se trouve au rez-de-chaussée.
Le lendemain matin, vers 8 heures, je pus constater que mon café avait été totalement pillé et dévasté: toutes les glaces et les bouteilles étaient brisées, la machine à café gisait à terre, brisée, le poste de radio totalement écrasé et des débris de verre jonchaient le sol.
J'ai fait constater les dégâts matériels par Me Dalmas, huissier, et des photos ont été prises qui témoignent de l'état de mon café après le passage des harkis. J'indique que j'ai pu constater que presque toutes les boutiques de ma rue avaient été pillées et étaient dans un état similaire à celui de mon café. C'est pour ces raisons que je

porte plainte entre vos mains contre les harkis pour destruction et coups et blessures volontaires.
Je porte plainte entre vos mains pour coups et blessures volontaires, bris de clôture et dégradations volontaires de choses mobilières.

Plainte de Djeziri Rabah :

Monsieur le Doyen des juges,
J'ai l'honneur de porter plainte entre vos mains contre les harkis et je me constitue partie civile pour les faits suivants :
Le dimanche 2 avril 1961, vers 20 heures, je quittai le café du 18, rue de Chartres dont je suis copropriétaire et j'en confiai la garde à Terbèche Mohamed demeurant au 23, rue Jessaint, à Paris XVIIIe.
Le mardi 4 avril, vers 10 heures du matin, je revins à mon café. Je trouvai la porte ouverte, le café avait été totalement dévasté, l'argent qui était dans la caisse avait disparu, les marchandises gisaient à terre au milieu de morceaux de verre et de tessons de bouteilles, la machine à café était complètement cassée, les murs étaient tout tachés, or je venais de faire repeindre, au mois d'août, mon café.
J'ai entendu des gens qui disaient que c'étaient les harkis et la police française qui avaient fait cela. Ils avaient endommagé, disaient les gens, tout le quartier, la voiture de « Jeannot » avait reçu treize balles.
Terbèche me dit que les harkis étaient entrés dans le café, avaient emmené les clients à Vincennes et que lui-même avait été frappé.
C'est pour ces raisons que je porte plainte, car les faits constituent le délit de bris de clôture et la contravention annexe de destruction de choses mobilières.

Plainte de M. Boumazouzi Abderahmane :

Monsieur le Doyen des juges,
J'ai l'honneur de porter plainte entre vos mains contre les harkis en destruction volontaire et de me constituer partie civile en raison des faits suivants :
Le dimanche 2 avril 1961, je quittai, vers 21 heures, mon café-restaurant « Le Tanger » sis au 16 de la rue de la Charbonnière à Paris, dont je suis le gérant.

J'en confiai la garde à un jeune garçon prénommé Amar, demeurant 4, rue de la Charbonnière, et je me rendis au café du 62, boulevard de la Chapelle où étaient attablés une vingtaine de harkis en civil.
Vers 22h30, le patron du café nous dit: « Ne sortez pas, il y a des coups de feu. » Une partie des harkis mirent leur brassard et sortirent.
Un quart d'heure plus tard, une patrouille de harkis, moitié en civil, moitié en militaire, nous dirent de partir du café.
Je rentrai à mon hôtel du 6, rue de Chartres où je trouvai M. Siouani Abdelkader qui est aviateur à Remilly-sur-Seine et avec lequel je partageais ma chambre. Nous nous mîmes à la fenêtre.
Nous vîmes une bande de harkis qui commençaient à casser les portes de tous les magasins de la rue ainsi que les vitres. Quatre d'entre eux s'acharnaient sur un homme, un Algérien m'a-t-il semblé, qui venait du boulevard de la Chapelle, à coups de pied. J'entendais crier: « On va se faire un carton. »
Un groupe de harkis et d'hommes couverts de képis comme des policiers français se dirigèrent vers la place à l'angle de la rue de la Charbonnière et de la rue de Chartres. Nous entendîmes alors des bruits de coups de feu et de vitres cassées.
Je supposai alors qu'il s'agissait de mon café et je demandai à Siouani, comme il était habillé en militaire, de descendre et de bien vouloir aller fermer le rideau de fer du café.
Dans la rue, il se fit interpeller par des harkis qui lui dirent: « Rentre chez toi, sinon tu vas te faire tuer. » Il revint et nous continuâmes à regarder. Des groupes de harkis descendaient la rue de Chartres et se dirigeaient vers le 5 où ils fracturèrent la porte, ainsi qu'au 2 et au 8.
Je les voyais tenter de défoncer les portes à coups de pied et de barre de fer, casser les vitres.
Après avoir tourné le boulevard de la Chapelle, nous avons entendu des bruits de vitres et nous distinguâmes, de loin, qu'il s'agissait du café « Le Pierrot ».
À 0h30, tout était calme, et lundi, à 5 heures du matin, j'allai constater l'état de mon café.
Toutes les vitres, les lumières au néon, les glaces étaient brisées en miettes, à coups de chaise paraît-il, des trous et des éclats de balles étaient encastrés dans les glaces, le juke-box était brisé, l'aquarium en morceaux, les bouteilles d'apéritifs volées ou brisées, ainsi que les fauteuils ou chaises cassés.

J'appris par Amar et d'autres clients, l'un surnommé Tizi-Ouzou, demeurant 23, rue Jessaint, et un autre, habitant 12, rue de Chartres, que les harkis les avaient jetés dehors du café pour les conduire au poste de la rue Fleury. En les conduisant, un harki avait tiré dans le groupe et un de mes clients, demeurant 23, rue Petit, dans le XIXe, avait reçu une ou deux balles dans le dos et avait pourtant été emmené dans cet état à Vincennes.
Amar avait été frappé par les harkis à coups de verre et on lui avait sectionné le poignet et il dut être soigné d'urgence à l'hôpital Lariboisière.
Tous les autres clients ont été molestés et l'un d'entre eux surnommé le Chef, borgne, aide-cuisinier, 7, rue de Chartres, a été frappé à coups de chaise et de verre par les harkis.
Je fis constater par un huissier, Me Dalmas, l'état de mon café et des photos ont été prises.

À noter que Boumazouzi Abderahmane a été de nouveau interpellé par les harkis le 9 avril. Après avoir fouillé son appartement, les supplétifs ont conduit Boumazouzi Abderahmane, 29, rue de la Goutte-d'Or, où il est resté jusqu'à 22 heures. « Après m'avoir menacé de me jeter par la fenêtre, raconte Boumazouzi, le capitaine m'a dit : "On t'embêtera plus. Tu pourras nous renseigner. Tu téléphoneras ici. MON. 36.47 et on se retrouvera dans le café..." »

Plainte de M. Harichane Abdelkader :

Monsieur le Doyen des juges,
J'ai l'honneur de porter plainte entre vos mains contre les harkis et je me constitue partie civile en raison des faits suivants :
Je suis propriétaire d'un salon de coiffure au 13, rue de Chartres qui était fermé dimanche 2 avril. Ce jour-là, vers 22 h 45, j'étais avec ma femme dans mon appartement au-dessus du salon de coiffure, lorsque j'entendis des coups de feu dans la rue.
Un quart d'heure plus tard, ma femme est descendue voir la voiture qui stationnait devant le salon de coiffure : la voiture avait reçu 10 à 12 balles. Le salon de coiffure de son côté avait été mitraillé, il y

avait cinq balles dans les vitres, une dans les glaces, il y en avait dans le mur et dans le plafond, le sol était jonché de bouts de verre.
Vers 23h45, je suis remonté et j'ai regardé par la fenêtre. J'ai vu une bande de harkis en civil et en tenue avec des inspecteurs et des agents qui sont entrés au 16 de la rue de la Charbonnière, ils firent sortir tout le monde les mains en l'air, ils les frappaient à coups de pied et coups de crosse. J'ai vu de même qu'ils emmenaient tout le monde au 18, rue de la Charbonnière.
Les harkis sont revenus cinq minutes après et ont tout cassé au 16 et au 18 de la rue, en frappant avec les crosses de leurs revolvers ou de leurs mitraillettes les vitres ou les glaces.
J'ai fait faire un constat avec photographies de mes dégâts par les soins de Me Dalmas, huissier.

Plainte de M. Kessi El Hadj Cherif :

Monsieur le Doyen des juges,
J'ai l'honneur de porter plainte entre vos mains contre les harkis pour bris de clôture et la contravention annexe de dégradation de choses mobilières. Je me constitue partie civile sur cette plainte, que je dépose en raison des faits suivants :
Le dimanche 2 avril 1961, j'avais fermé le café dont je suis gérant, sis au 36, rue de la Charbonnière à Paris, et j'avais emmené ma famille au cinéma.
De retour à 0h20 lundi, j'allais ouvrir la porte du café pour rentrer chez moi lorsque je reçus un bout de verre sur la tête, j'ai été égratigné, il s'agissait du carreau de la porte.
Je suis entré dans le café, j'ai allumé et j'ai constaté que toutes les vitres de la devanture étaient brisées, les morceaux de verre jonchaient le sol.
Lundi matin vers 8 heures, j'ai nettoyé mon café et commencé à travailler.
À 12h45, une patrouille de harkis entra dans le café pour un contrôle, ils se mirent à molester toutes personnes étrangères au quartier et les jetaient dehors, interrompant leur repas, à coups de pied et de poing.
À 13h10, une seconde patrouille est entrée dans le café, et un des agents s'adresse alors à mon fils, âgé de 16 ans, qui était derrière le

comptoir, en lui disant: « Tu es marocain. » J'intervins et dis: « C'est mon fils qui me donne un coup de main aujourd'hui, il est algérien. »
Il appela alors son supérieur qui était sur le trottoir. Celui-ci entra en donnant un coup de poing à la vitre de l'entrée, puis il commença à frapper toutes les personnes qui prenaient leur repas dans mon restaurant. Deux couples d'Algériens accompagnés de jeunes femmes françaises ont été extrêmement malmenés. Ce chef harki brisa une bouteille de Vittel sur la tête d'une jeune fille européenne qui était accompagnée d'un jeune garçon algérien, plongeur chez *Moustache* à Saint-Germain; celui-ci d'ailleurs reçut un verre sur la tête. Tous les deux durent être hospitalisés à l'hôpital Lariboisière.
Une fois que les harkis eurent jeté tout le monde à la porte, ce harki se mit à briser le matériel. Il cassait les glaces à l'aide de tout ce qui lui tombait sous les mains, assiettes, verres, bouteilles… Quand le chef eut fini de tout casser, les harkis repartirent.
J'ai fait faire un constat par Me Dalmas, huissier, de l'état de mon café, ainsi que des photographies. Il m'est possible de reconnaître ce chef de harkis.
Ces faits constituent le délit de bris de clôture et la contravention annexe de dégradation de choses mobilières.

Plainte de M. Laidouni Mohamed:

Monsieur le Doyen des juges,
J'ai l'honneur de porter plainte entre vos mains pour déprédation volontaire contre les harkis et de me constituer partie civile en raison des faits suivants:
Le dimanche 2 avril 1961, j'étais vers 22h45 au café du 8, rue de Chartres, dont je suis le gérant, lorsqu'une patrouille de harkis en uniforme entra en hurlant « Dehors ! » et en frappant tout le monde à coups de crosse de revolver ou de canon de mitraillette, à coups de poing et à coups de pied.
Ils les emmenèrent tous au poste de la rue de la Goutte-d'Or. Je fermai pendant ce temps-là le café et je rentrai chez moi, au 6 de la rue de Chartres.
Vers 2h30 du matin, la concierge française du 8 vint m'avertir que les harkis avaient tout cassé dans mon café.

Je me suis habillé et je suis allé constater avec la concierge.
Dans la rue, il y avait des policiers français, la porte d'entrée du café était par terre, les volets éparpillés dans la rue.
Toutes les vitres étaient brisées, la machine à café cassée, les glaces et les bouteilles en miettes. Le sol était jonché de verre brisé.
Tous les disques étaient cassés, deux des tables brisées, et une montre-réveil de valeur avait disparu.
Un mois déjà auparavant environ, les harkis étaient venus chez moi et m'avaient frappé violemment, ainsi que mon associé M. Ziache Abdelkader.
Quinze jours plus tard, ils étaient revenus me frapper encore, ainsi que toute la clientèle qu'ils avaient molestée à coups de chaise et d'assiette en leur hurlant : « Partez du quartier, foutez le camp. »
J'ai fait constater les dommages matériels par Me Dalmas, huissier, et des photographies indiquant l'état de mon café, après le passage des harkis.
Je porte plainte pour coups et blessures volontaires, bris de clôture, destruction volontaire de choses mobilières.

Plainte de M. Mebrouk Ben Messaoud Ben Mebrouk :

Monsieur le Doyen des juges,
J'ai l'honneur de porter plainte entre vos mains contre les harkis et je me constitue partie civile en raison des faits suivants :
Je suis gérant d'un café-restaurant le « Changoo Bar », sis à Paris, au 104, boulevard de la Chapelle.
Dimanche 2 avril 1961, j'avais fermé mon café avec des volets de bois vers 21 heures et j'étais rentré chez moi.
Lundi matin à 6 heures je voulus aller ouvrir mon café. Au moment où je voulus prendre la clef de mon café chez le concierge français du 104, celui-ci me dit : « Votre café a été totalement saccagé par les harkis. »
Je vis en effet que les volets avaient été arrachés et jetés à terre, le verrou de la porte arraché, toutes les vitres brisées, ils avaient arraché les robinets de la machine à café, toutes les bouteilles brisées traînaient éparses, les tables étaient renversées, deux ou trois chaises brisées, le billard électrique avait été détruit à coups de crosse, et ils avaient brisé l'appareil à musique.

Les voisins de l'hôtel du 104 ont vu les harkis tout casser.
Pendant l'opération, le veilleur français prénommé « Maurice », qui habite l'hôtel du 104, boulevard de la Chapelle, demanda aux harkis : « Pourquoi cassez-vous tout dans le café puisqu'il est fermé et qu'il n'y a personne ? », les harkis lui répondirent : « Tais-toi, sinon il y aura une balle pour toi. »
J'ai fait faire un constat par les soins de Me Dalmas, huissier, et prendre des photographies de l'état de mon café.

Plainte de M. Terbèche Mohamed :

Monsieur le Doyen des juges,
J'ai l'honneur de porter plainte entre vos mains contre les harkis et je me constitue partie civile en raison des faits suivants :
Le dimanche 2 avril 1961, j'étais dans le café du 18, rue de Chartres derrière le comptoir, lorsque, vers 23 h 20, un groupe de harkis entra.
L'un d'entre eux se jeta sur moi et me frappa violemment derrière la tête, pendant que les autres harkis jetaient à la rue tous les autres clients qui étaient attablés à coups de crosse et de pied.
Un des clients algériens a eu la tête à moitié fracassée.
Ils nous emmenèrent tous au poste de la rue Fleury en nous frappant en route.
Vers 2 h 30 le lundi, la police décida de nous emmener au centre de Vincennes.
Comme je m'inquiétais du café qui était resté ouvert, et de l'argent de la caisse, un policier me dit : « Ne t'inquiète pas, on va mettre un gardien. »
Je fus relâché du centre de Vincennes le lundi 3, à 18 heures.
En arrivant au café, je vis que tout avait été dévasté : toutes les vitres et les bouteilles étaient cassées, des morceaux de verre jonchaient le sol. La machine à café était totalement démolie, le téléphone avait été arraché et les fils gisaient à terre.
Les voisins m'indiquèrent que c'étaient les harkis qui avaient détruit le café en même temps qu'ils avaient pillé et cassé toutes les boutiques du quartier.
Je porte plainte pour coups et blessures volontaires, bris de clôture, et destruction volontaire de choses mobilières.

Plainte de M. Zeghoudi Mahieddine :

Monsieur le Doyen des juges,
J'ai l'honneur de porter plainte entre vos mains contre les harkis et je me constitue partie civile en raison des faits suivants :
Dimanche 2 avril 1961, j'avais fermé le soir le café du 90, boulevard de la Chapelle dont je suis gérant et j'étais monté à mon appartement au deuxième étage avec ma femme et ma petite fille.
Vers 22 h 45, j'entendis un bruit de fusillade, je regardai par la fenêtre et je vis des gens qui couraient et la police qui tirait.
Puis, vingt minutes plus tard, j'entendis un bruit de vitres cassées, je regardai derrière ma fenêtre et je vis un groupe de harkis, dont sept ou huit étaient en civil portant leurs brassards, accompagnés d'un Européen qui se dirigeaient vers l'hôtel du 92 et tentaient de défoncer la porte à coups de pied ou de crosse, ils n'y arrivèrent pas, ils se dirigèrent alors vers mon café et j'entendis un bruit de verre brisé suivi de glaces qui tombaient.
J'ai pensé qu'il s'agissait de mon café, puis j'entendis qu'ils étaient à côté, chez « Madame Charlot » puis chez « Tintin ».
Dix minutes après nous n'entendions plus rien. Je suis descendu et j'ai vu toutes les glaces brisées à terre, presque tout avait été cassé.
Le lendemain matin, tous les gens du quartier étaient désespérés, presque toutes les boutiques étaient dans le même état.
Je fis faire un constat par Me Dalmas, huissier.
Je porte plainte pour bris de clôture et dégradation volontaire de choses mobilières.

Plainte de Mme Vve Radjou, née Bahfir Zahoua :

Monsieur le Doyen des juges d'instruction,
J'ai l'honneur de porter plainte entre vos mains pour bris de clôture et destruction de choses mobilières contre les harkis, je me constitue partie civile sur ma plainte que je dépose en raison des faits suivants :
Le lundi 3 avril 1961, trois clients étaient attablés dans mon café, M. Kader Radjou et deux autres personnes du quartier prénommées Abdallah et Ali, lorsque, vers 13 heures, une bande de harkis

en tenue entrèrent dans le café en poussant la porte à coups de pied.
Ils s'emparèrent des bouteilles et des assiettes qu'ils jetèrent contre le mur et commencèrent à frapper les clients qui furent légèrement blessés à l'œil. Puis ils brisèrent toute la vaisselle, les verres et une machine que j'avais dans un coin.
Ce n'est pas la première fois que les harkis commettent des brutalités chez moi. Au mois de janvier, ils frappèrent tellement M. Atman, âgé de soixante-cinq ans, qui m'aidait à tenir mon commerce depuis la mort de mon mari en 1954, que celui-ci dut être hospitalisé et est encore actuellement à l'hôpital.
Je fis faire un constat par les soins de Me Dalmas, huissier.
Ces faits constituent le délit de bris de clôture et la contravention annexe de destruction de choses mobilières.

Plainte de M. Skon Hocine :

J'ai l'honneur de porter plainte entre vos mains et de me constituer partie civile en raison des faits suivants :
Le dimanche 2 avril 1961, j'avais quitté, vers 20 h 30, le café du 21, rue de Chartres dont je suis gérant, en en laissant la garde à un compatriote prénommé Ahmed.
Le lundi 3 avril, vers 6 heures du matin, je revins pour ouvrir mon café.
Je trouvai mon établissement ouvert, totalement pillé et dévasté.
Toutes les bouteilles cassées jonchaient le sol, les marchandises inutilisables se mêlaient aux tessons de verre, le poste de radio à terre, la caisse avait été ouverte, jetée au sol et vidée, les papiers concernant l'exploitation du café traînaient à terre.
Les carreaux en face de la caisse étaient troués de seize balles et deux balles étaient restées fichées dans le comptoir.
Il n'y avait personne dans la rue, mais je fis un tour dans le quartier et je vis que presque toutes les boutiques étaient dans le même état que la mienne.
Quelques personnes dans la rue, auxquelles je demandais ce qui s'était passé, me répondirent craintivement : « C'est la police. »
J'appris aussi que mon employé Ahmed avait été blessé et frappé par les harkis et qu'il était à l'hôpital Lariboisière.

Faut-il préciser que Me Dalmas, huissier, appelé à constater les dégâts matériels causés par les harkis, a confirmé dans ses procès-verbaux les renseignements fournis par les plaignants ?

Des ouvriers algériens ont également été blessés par les supplétifs. Bouchelaghel Abdallah, ouvrier boulanger, a eu un tendon de la main gauche coupé. Voici la plainte qu'il a adressée le 2 mai au doyen des juges :

> J'ai l'honneur de porter plainte entre vos mains contre les harkis pour coups et blessures volontaires, et je me constitue partie civile sur la plainte que je dépose en raison des faits suivants :
> Je travaille de nuit comme aide-boulanger aux Établissements Cadot. Lundi 3 avril 1961, lorsque je me réveillai, je partis déjeuner dans un café marocain de la rue de Chartres : « Chez Smaïl ». Vers 13 h 15, un groupe de harkis en uniforme entra dans le café et les harkis commencèrent à frapper à l'aide de fourchettes, assiettes et verres toute la clientèle du restaurant.
> Dans le café, il y avait des femmes françaises qu'ils jetèrent dehors. Un des harkis voulut me frapper avec un couteau. Je protégeai mon visage de la main. Le harki me poussa contre le mur, tenta de frapper ma joue mais son couteau dévia et me coupa le tendon de la main gauche.
> Je faillis m'évanouir après qu'il m'eut tailladé le poignet, mais comme je craignais qu'il ne continue à me frapper, je sortis en courant, à moitié chancelant, et revins à mon hôtel. La patronne de mon hôtel, Mme Villeneuve, me conduisit à l'hôpital Lariboisière où je fus hospitalisé au service de chirurgie jusqu'au 7 avril 1961.
> Je joins à ma plainte un certificat médical du Dr Calvey, chef de service à l'hôpital Lariboisière, qui déclare que je présentais, lors de mon entrée à l'hôpital, une plaie de la face dorsale et de l'articulation métacarpe phalangienne de l'index gauche. Cette plaie nécessita une suture tendineuse. Mon état nécessite une convalescence d'un mois, sauf complications imprévisibles.
> Ces faits constituent l'infraction de coups et blessures volontaires.

Drici Mohamed, qu'un harki a blessé d'une balle dans la gorge, a porté plainte le 29 avril :

Monsieur le Doyen des juges,
J'ai l'honneur de porter plainte entre vos mains pour coups et blessures volontaires, infraction prévue par l'article 509 du Code pénal, contre les harkis et je me constitue partie civile sur ma plainte.
Le dimanche 2 avril 1961, j'étais dans ma chambre au 23, rue de la Charbonnière, couché, lorsque vers 22h45 trois harkis en civil, mais avec brassard, firent irruption dans ma chambre.
Ils s'acharnèrent d'abord sur ma porte qu'ils brisèrent à coups de pied et de poing et coups de crosse. L'un était muni d'un pistolet-mitrailleur, les deux autres de revolvers.
Puis ils brisèrent un miroir dans ma chambre et me tailladèrent le poignet gauche. Ils me jetèrent hors mon lit et me poussèrent dans l'escalier à coups de pied et de crosse. Ils me firent rester en pyjama sous la pluie pendant près de deux heures, les mains en l'air, devant le café-restaurant.
Puis, ils décidèrent de m'emmener au poste de la rue Fleury, un des harkis alors portant le brassard me tira soudainement une balle dans la gorge devant le 21 de la rue de la Charbonnière.
Je fus traîné cependant au poste de la rue Fleury où l'on me demanda mes papiers, je les avais emportés.
Au poste, je fus encore frappé à coups de pied par des policiers français qui finirent par me dire : « Va à l'hôpital. »
J'ai été hospitalisé à l'hôpital Saint-Louis du 3 avril au 6 en section chirurgie. Je joins à ma présente plainte deux bulletins d'hospitalisation.

Voici le certificat que l'assistant du Pr Mialaret a remis à Mohamed Drici le 28 avril :

Je, soussigné, interne des hôpitaux de Paris, certifie que M. Drici Mohamed, 23, rue de la Charbonnière, se disant victime d'une agression, a été hospitalisé dans les services du Dr Mialaret à Saint-Louis, du 3 au 6 avril 1961. Il présentait une fracture à plusieurs petits fragments sans déplacement, au niveau de la symphyse mentonnière du maxillaire inférieur avec une petite ouverture cutanée de 2 centimètres environ à la face inférieure du menton qui a été suturée. Il lui a été prescrit une convalescence de huit jours sauf complication à dater de sa sortie.

Plainte de Ferhat Tahar :

Monsieur le Doyen des juges d'instruction,
J'ai l'honneur de porter plainte entre vos mains pour coups et blessures volontaires, contre la police municipale du quartier de la Goutte-d'Or, je me constitue partie civile sur ma plainte que je dépose en raison des faits suivants :
Le lundi 3 avril 1961, vers 15 heures, je descendais la rue de la Charbonnière accompagné d'un ami, M. Kadour Larbi, lorsque nous croisâmes un car de la police municipale.
Soudain, le fils du patron italien du salon de coiffure du 29 de la rue de la Charbonnière me héla, je demandai à mon ami de m'attendre à côté de la porte du 31 et j'entrai dans le salon de coiffure.
À ce moment-là, la police entra et demanda au fils du patron : « Qui vient d'entrer ? » Je répondis : « C'est moi. » Ils me dirent alors : « Où est le revolver ? » Je répondis : « Je n'en sais rien, je n'y comprends rien. »
Pendant qu'ils examinaient mes papiers, ils dirent au fils du patron : « Quelqu'un est monté dans les étages ? » Celui-ci répondit non. La police municipale nous emmena alors, Kadour et moi, au poste de la rue Fleury. Là, ils nous frappèrent pendant un quart d'heure à coups de pied, de poing et de crosse de mitraillette. Ils me demandèrent où je travaillais, je répondis que j'étais garçon de bar chez M. Villeneuve. À ce nom ils redoublèrent de coups et me dirent : « Ah ! puisque tu travailles chez ce pourri-là, cet en... é, tu vas voir » et ils redoublèrent de fureur sur moi.
Il y avait aussi deux autres Algériens qui étaient là, et qui furent également frappés.
Puis ils me dirent : « Eh bien ! maintenant on va te remettre aux mains de tes compatriotes, les forces auxiliaires de police et, eux, ils arriveront bien à te faire parler, la prochaine fois on vous tuera, chaque fois qu'il y aura un agent de blessé ou de tué, le premier Algérien trouvé dans la rue paiera. »
Ils nous conduisirent au poste de harkis au coin de la rue des Gardes et de la rue de la Goutte-d'Or. Ceux-ci ne nous frappèrent pas mais prirent seulement notre identité. Je fus relâché à 22 h 30.
Je rendis visite à un médecin, M. Guillemin, et je joins le certificat médical qu'il me remit.

Ayant peur d'avoir des ennuis à la suite de cette plainte, je tiens à vous prévenir qu'après avoir été interné pendant vingt-neuf mois dans divers camps d'assignation à résidence, je suis assigné depuis le 1er mars 1960 à mon domicile, 92, boulevard de la Chapelle. Je ne voudrais pas être interné de nouveau à la suite de cette plainte.

Ferhat Tahar a joint à sa plainte le certificat médical suivant :

Je soussigné, docteur en médecine, certifie avoir examiné M. Ferhat Tahar qui me dit avoir été victime de violences ce jour.
Il présente une contusion importante de la région inguinale droite avec œdème du carpe.
Il présente de plus des contusions multiples de la région dorso-lombaire.
Son état nécessite un repos complet de huit jours – sauf complications. Toutes les réserves sont à faire quant à l'avenir.
Dr Jean Guillemin, médecin de Saint-Jean-de-Dieu, 135, boulevard Magenta.

Des commerçants européens du quartier de la Goutte-d'Or ont écrit au président du conseil municipal de Paris, pour protester contre la présence des harkis dans le XVIIIe.

Voici la lettre de M. Richard, boulanger-pâtissier, 13, rue de Chartres…

Paris, le 17 avril 1961.

Monsieur le Président du conseil municipal de la Ville de Paris,
Depuis l'installation des postes de supplétifs dans la rue de la Goutte-d'Or, je suis obligé de constater que, de plus en plus, le quartier n'est pas rentable. Mon commerce diminue de jour en jour mais les charges restent les mêmes.
Je ne peux plus assurer à mon ouvrier une paie viable.
De plus en plus les Européens cherchent à partir. Les logements se vident. Personne ne se sent en sécurité.
Pour ma part, ma voiture a servi de cible à *des rafales lâchées en pleine rue*. Plusieurs balles ont traversé mon magasin. Si personne n'a été blessé, c'est parce que ma femme, mes enfants et des clients s'étaient réfugiés au fournil. Ceci pour la troisième fois.

J'ai trois enfants à élever. La plus âgée (onze ans) hésite chaque fois qu'elle doit se rendre en classe. Je crois que ceci n'est pas une vie normale – même à Barbès.
La police française doit suffire à mettre l'ordre.
Je demande et je souhaite que soient prises des mesures pour assurer la tranquillité des habitants de mon quartier ; ainsi, les commerçants, nous pourrons travailler normalement.
Veuillez agréer… etc.

… Et celle de M. Chagnat, marchand de couleurs, 18, rue de la Charbonnière.

15 avril 1961.

Monsieur le Président,
À la suite des événements (que vous savez sans doute) dans le quartier de la Goutte-d'Or où j'exerce un commerce de couleurs, il règne un climat d'état de siège.
Bien entendu nos commerces en subissent le contre-coup. Le chiffre d'affaires se réduit dans d'inquiétantes proportions.
Nous sommes amenés à constater que la présence des agents supplétifs est cause des troubles qui mettent notre vie et biens en danger.
Tant que le service d'ordre était assuré par la police métropolitaine le quartier était paisible. Peut-être par votre intervention pourrez-vous remédier à cet état de choses.
Je vous prie d'agréer…

Le grand silence de la presse française

À l'exception de *L'Humanité* et de *Libération* qui ont été saisis, la grande presse n'a pas parlé de l'« affaire de la Goutte-d'Or ».

Le Monde, qui, lui, n'a été ni saisi ni démenti, s'en étonne : « Vitrines brisées, devantures enfoncées, installations saccagées ; tel est le spectacle qu'offrent de nombreuses boutiques du quartier de la Goutte-d'Or depuis lundi… Si elles avaient été le fait de "blousons noirs", ces déprédations eussent suscité de nombreux articles dans la presse, tant le saccage, commis dimanche soir, est spectaculaire. Or, celui-ci est presque passé inaperçu. Il est le fait, affirment les commerçants qui en ont été victimes, des “supplétifs musulmans”, des “harkis” qui, postés à chaque coin des rues du quartier, montent la garde pour assurer l’ordre dans la “Medina de Paris”. »

Si la presse française s’est montrée extrêmement discrète, les journaux étrangers ont accordé une large place au scandale des tortures et des disparitions ; ils ont reproduit sous de gros titres les informations que les Parisiens n’ont pas le droit de lire…

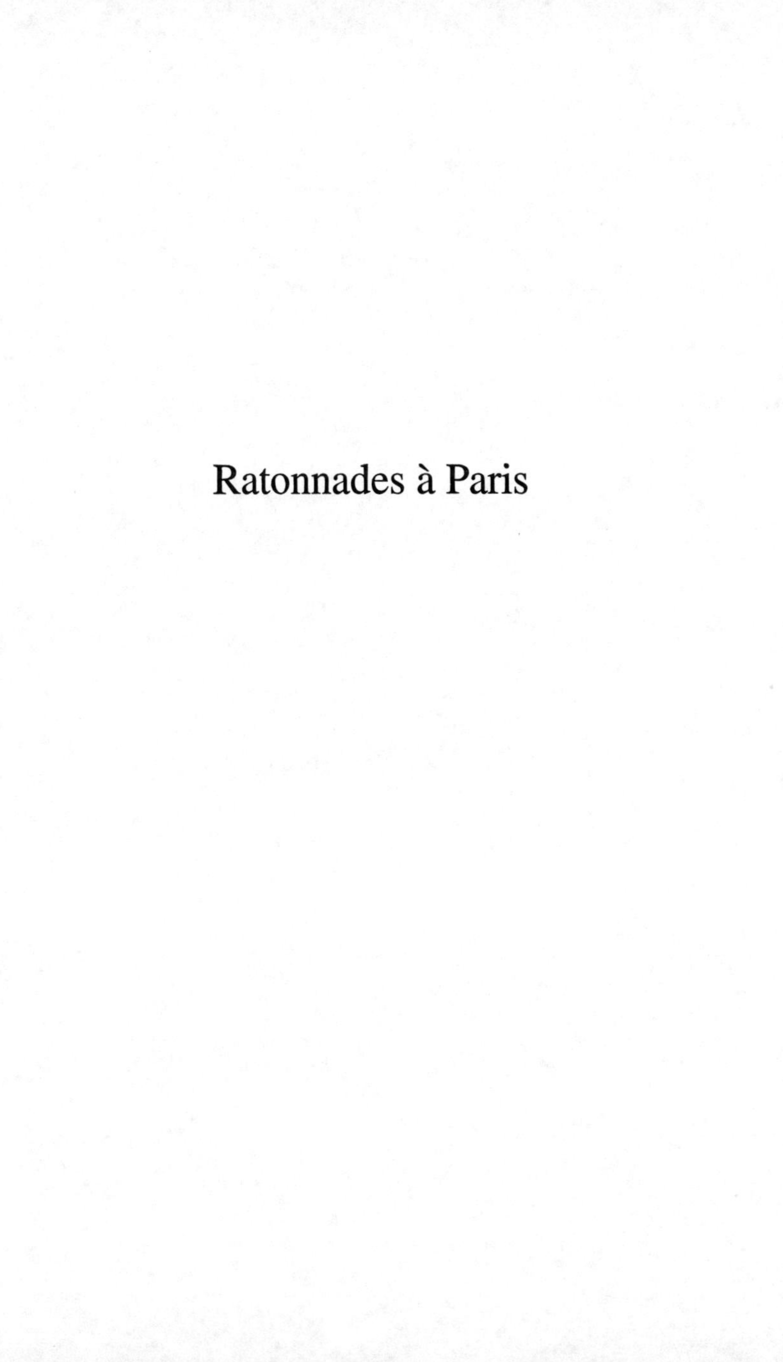

Ratonnades à Paris

1

Le grand soir

Paris, 17 octobre. – À l'heure où, sous la pluie, le pavé noirci reflète les enseignes au néon, à l'heure où Paris fait la queue à la porte des cinémas, où Paris pousse la porte des restaurants, où Paris ouvre ses huîtres, au moment où Paris commence à s'amuser, ils ont surgi de partout, à l'Étoile et à Bonne-Nouvelle, à l'Opéra et à la Concorde, sur les avenues, sur les boulevards, aux portes de la Ville, au pont de Neuilly. Ces portes que Paris leur fermait, vingt, trente, soixante mille Algériens les ont franchies sans bruit. À 20 heures, cette heure où le préfet de police prétendait les consigner dans leur « ghetto », les travailleurs algériens de la région parisienne ont entrepris une longue marche silencieuse à travers les principales artères de la capitale.

Avec stupeur, parfois avec inquiétude, les Parisiens ont brusquement découvert l'existence de ces hommes qu'on leur dissimulait comme une plaie. Et ce fut une révélation : des hommes résolus, calmes, parfaitement maîtres d'eux-mêmes, disciplinés, et qui déferlaient dans les rues en vagues puissantes, irrésistibles.

Voici donc ce qu'ont vu ceux qui se trouvaient, ce mardi soir 17 octobre, dans les rues de Paris.

« Pour la première fois, des manifestations de masse algériennes se sont déroulées hier, en plein Paris. Venus des quartiers algériens, des bidonvilles de la banlieue comme des arrondissements au peuplement plus mélangé, des dizaines de milliers d'Algériens, habitant la région parisienne, ont multiplié les manifestations pour exiger la levée du couvre-feu de fait qui leur est appliqué.

« En plusieurs endroits, la police a été prise au dépourvu. En d'autres, de violents matraquages ont eu lieu. Au début de la nuit, sur les grands boulevards comme aux Champs-Élysées, le claquement sourd des grenades lacrymogènes se mêlait aux mots d'ordre :

"Pas de couvre-feu !"

"Libérez Ben Bella !"

« Des coups de feu ont succédé, comme l'indiquaient, avec quelque retard, la Préfecture de police et l'AFP. Celle-ci affirmait qu'il s'agissait de coups de sommation en l'air. Boulevard Bonne-Nouvelle, on trouvait une Simca (301 CS 88) criblée de balles.

« Dans le même temps, le lourd bilan se précisait : officiellement, à 1 heure, deux morts avenue de Neuilly, de nombreux blessés, plus de 7 500 arrestations. Mais chacun s'accorde à penser que les victimes étaient beaucoup plus nombreuses : 8 à 10 morts, sans doute, et des centaines de blessés.

Sur les grands boulevards

« Mais reprenons un peu les faits dans l'ordre chronologique :

« Dès 2 heures, place de l'Opéra, les forces de police massées au débouché du métro arrêtent, sous la menace des mitraillettes, de nombreux Algériens qui, les mains sur la tête, sont alignés le long des fourgons cellulaires.

À l'Étoile

« Dans des enclos faits sur les trottoirs avec les barrières métalliques utilisées pour les cérémonies, des milliers d'hommes sont étroitement serrés les uns contre les autres, visages baissés, mains sur la nuque. Des policiers, l'arme ou la matraque au poing, poussent sans arrêt de nouveaux Algériens vers les parcs. Il en vient de partout. Dans toutes les rues et les avenues, autour de l'Étoile, des Algériens isolés ou en petits groupes marchent sur les trottoirs. Les policiers n'arrivent pas les canaliser, encore moins à les arrêter tous, tant ils sont nombreux. Les coups pleuvent. Aucun Algérien ne riposte. Avenue de la Grande-Armée, on entend des détonations.

« Au coin de l'avenue de Wagram, une trentaine de femmes et de jeunes filles, avec des enfants ; désespérées, elles hurlent en arabe ou en français. Elles crient leur vie intolérable.

« Une jeune Française, parmi ses camarades algériennes, son bébé brun dans les bras, qu'une amie abrite avec un parapluie, est la plus acharnée. Les agents la fourrent dans le car. Un Français, jeune, bien habillé, essaie de s'interposer avec un courage inouï.

« Les agents le jettent dans le car, le canon d'un revolver dans les côtes.

« Avenues Mac-Mahon et Hoche, aux Ternes, rue de Courcelles, dans les ruelles, des files d'hommes sont là, nez au mur, dos à la pluie, attendant sous la menace des mitraillettes.

« Des femmes appellent en arabe leurs enfants raflés, se tordent les mains, pleurent.

« À 22 heures, tous les centres de police sont pleins d'Algériens appréhendés. Le Palais des Sports est réquisitionné pour enfermer 3 500 nouveaux appréhendés.

« À 22 h 30, l'Agence France-Presse annonçait, officiellement, que deux Algériens avaient été tués.

Au Quartier Latin

« Différents points de rassemblement étaient prévus, dont le boulevard Saint-Michel. Une colonne descend, à 20 h 25, en direction du boulevard du Palais.

« Elle semble interminable. Des hommes de tous âges, mais où dominent les jeunes, pauvrement habillés. L'un s'abrite sous un parapluie, un autre porte un chapeau enfoncé jusqu'aux yeux. Çà et là, une jupe de femme, et des adolescents côtoient des vieillards. Beaucoup marchent avec une lourdeur paysanne, mais ils marchent en silence sans un cri, avec une inexprimable dignité.

« Une première charge de police a eu lieu à l'angle du boulevard du Palais et du quai des Marchés-Neufs. Les gardiens de la paix frappent à coups de bâtons blancs, de crosses de mitraillettes.

« Une seconde charge a eu lieu devant le café *Le Terminus*, boulevard Saint-Michel, à 20 h 30. Les vitres éclatèrent sous la poussée massive des Algériens, tassés et frappés à coups redoublés. Bientôt, les cars de police sont pleins de victimes saignantes et gémissantes ; des bras et des jambes d'hommes évanouis pendaient par les fenêtres.

« Cela dure jusqu'à 21 h 30.

« Inlassablement, les manifestants, d'où seul fusait, çà et là, un cri, un chant, un appel, oscillaient de la place Edmond-Rostand à la place Saint-Michel. Devant le café *La Source*, un homme reste le nez dans le ruisseau. Il ne bouge plus. Le sol est jonché de souliers et de bérets. D'un bout à l'autre du boulevard, des taches de sang se diluent sous la pluie.

« Sans cesse, des cars bleus ramassent leur cargaison de blessés.

« La pharmacie du 12, boulevard Saint-Michel est transformée en hôpital.

« À 21 h 30, la manifestation est dispersée. La poursuite des manifestants isolés se poursuit dans les petites rues du Quartier Latin.

« Dans la nuit, la Préfecture de police déclarait que, "au cours des opérations, des coups de feu ont été tirés contre les membres du service d'ordre, qui ont riposté", et en restait au chiffre officiel de deux morts. »

(*Libération*, 18 octobre 1961)

La fusillade du boulevard Bonne-Nouvelle

Sur l'un des épisodes les plus dramatiques de cette soirée, l'un des plus significatifs aussi, voici les précisions données par Henry Pignolet et Michel Croce-Spinelli, reporters de *France-Soir*:

« En plein Paris, une colonne venue de l'est et du nord marchait vers l'Opéra. Sur les boulevards, les Parisiens sortant du cinéma regardaient avec stupeur l'apparition inattendue de musulmans brandissant des écharpes vert et blanc aux couleurs du FLN, tapant dans les mains, scandant "Algérie algérienne" et "Libérez Ben Bella".

« Là aussi, plusieurs centaines de musulmans sont arrêtés et groupés dans la cour de l'Opéra et sur le terre-plein du métro.

« Des camions les évacuent, peu à peu, vers Vincennes. Vers 21 h 15, deux mille auront été ainsi évacués. Mais le nombre des manifestants croît sans cesse. D'après les estimations officielles, vingt mille musulmans auraient, au total, répondu aux consignes du FLN. L'agent qui règle la circulation enlève sa pèlerine blanche, sort son revolver et se joint au service d'ordre.

« Quand le grand cortège qui vient de la République va déboucher sur la place, drapeaux FLN en tête, les CRS, tenus jusqu'ici en réserve, interviennent. Ils coupent la chaussée entre la bijouterie Clerc et le magasin Lancel. Puis ils marchent sur les manifestants.

Les chefs semblent avoir voulu éviter
toute violence

« Il y a quelques heurts. À 21 h 30, les Nord-Africains ont été repoussés jusqu'au-delà du cinéma Paramount. Mais l'effervescence gagne toutes les rues avoisinantes. Les cafés ont rentré leur terrasse. La circulation est interrompue.

« La manifestation a fait demi-tour. Le cortège repart en sens inverse. Les CRS de l'Opéra, eux aussi, remontent dans leurs cars et font mouvement.

« De nouvelles colonnes de musulmans descendent de Montmartre. Maintenant, tout converge à Richelieu-Drouot. On entend les sirènes des motards ouvrant la voie aux convois de cars qui emmènent, par centaines, par milliers, les manifestants appréhendés.

« Pendant ce défilé sur les boulevards, les chefs de la manifestation semblent avoir voulu éviter toute violence. En passant devant les cafés, certains “responsables” conseillent aux débitants de reculer les terrasses, mais disent de ne pas s’affoler.

« Mais, boulevard Bonne-Nouvelle, ce fut la tragédie. Dans le flot des voitures qui n’avaient pas réussi à tourner dans les rues voisines et qui étaient bloquées, il y avait un car de police, vide. Le chauffeur était seul à son volant.

« – J’ai vu, raconte un témoin, le conducteur descendre de son siège. Il était blême. Il avait son pistolet à la main. Effrayé par la masse hurlante qui avançait vers lui, il cria : “Le premier qui avance, je fais feu !” Les manifestants, nullement intimidés, continuèrent à avancer. Le policier a tiré deux coups en l’air. Puis il a fait feu vers les manifestants.

« En entendant les coups de feu, des policiers casqués, portant le gilet pare-balles, sont accourus. Ils ont, à leur tour, tiré une vingtaine de coups de feu.

« Les Nord-Africains s’enfuient dans toutes les directions. Ils se réfugient dans les couloirs des immeubles. Une confiserie a sa vitrine brisée et saccagée, ainsi que la terrasse du tabac du Gymnase et la devanture d’une chemiserie.

« Sept hommes restent sur le trottoir, grièvement blessés. L’un d’eux devait succomber. »

(*France-Soir*, 19 octobre 1961)

Les policiers font du zèle

Choses vues par le reporter de *Témoignage chrétien* :

« Dans le moindre de leurs gestes, on sent chez les policiers de la haine. Tous font du zèle, frappant les hommes au passage, au lieu de simplement les canaliser : “Salopards ! Salauds de ratons...” Des enfants surgissent d’un angle de mur; l’aîné a peut-être dix ans. Il met les mains en l’air pendant qu’un policier en civil le fait avancer, revolver dans le dos.

« Pendant les fusillades des grands boulevards, où un Français qui se rendait au cinéma eut la tête cassée d’un coup de crosse – une distraction – et où un de mes amis compta (et vérifia) cinq cadavres, j’étais en bas du boulevard Saint-Michel, où la police chargeait la foule, là encore pacifique, désarmée, obéissant avec discipline à son propre service d’ordre. Dans la pharmacie la plus proche, après la charge, douze hommes étaient étendus, hébétés par les coups, le sang coulant de leurs têtes sur leurs visages mouillés et mal rasés, sur leurs vêtements déchirés! “Prenez d’abord celui-ci”, disait le pharmacien à un groupe de Français qui les chargeaient dans leur *2 CV*, “il est dans le coma.”

« Tous ces blessés, tous ces cadavres: autant de “bavures”. Sans doute n’était-il pas prévu de faire couler tant de sang. Les policiers, je pense, n’ont pas pu “se retenir”, ça a été “plus fort qu’eux”. »

(*Témoignage chrétien*, 26 octobre 1961)

Bilan officiel et questions indiscrètes

Le 18 octobre, alors que Paris, bouleversé, cherche à comprendre ces manifestations inattendues, la Préfecture de police publie froidement le communiqué suivant:

« Au début de la matinée de mercredi, la Préfecture de police a donné le bilan suivant de la manifestation de mardi soir:

« Nombre des participants: 20000 environ;

« Arrestations: 11538; les individus appréhendés ont été conduits dans les centres du Palais des Sports et du stade de Coubertin;

« Blessés dans le service d’ordre: un officier de paix, deux brigadiers, six gardiens ont été conduits à la Maison de santé;

« Victimes parmi les manifestants: deux morts et soixante-quatre blessés. »

Bilan contestable et contesté

Le Monde, circonspect, écrit le 21 :

« Le bilan officiel des morts et des blessés parmi les musulmans, lors des manifestations, suscite certaines contestations. Certains laissent entendre qu'ils pourraient être plus nombreux qu'il n'a été dit. »

N'attendons pourtant, des autorités officielles, aucune précision. Le 24 octobre, M. Papon, préfet de police, était appelé à s'expliquer devant le conseil municipal sur la manière dont « sa » police avait « écrasé » la manifestation du 17. Mais il n'a pas répondu aux questions que lui ont posées, successivement, MM. Raymond Bossus et Claude Bourdet.

« Combien de morts, parmi les Algériens ? Combien de noyés ? Combien de tués, à la suite de coups ?... »

«... Est-il vrai, en particulier, que cinquante morts ont été ramassés dans la cour de la caserne de la Cité, le soir du 17 octobre ? Est-il vrai que cent cinquante corps ont été retrouvés dans la Seine, entre Paris et Rouen ? »

M. Papon a gardé le silence.

Le lundi 30 octobre, M. Claudius Petit (député, appartenant à l'Entente démocratique) est revenu à la charge devant l'Assemblée nationale :

« Au Palais des Sports, a-t-il déclaré, étant donné l'état de nombreux musulmans, on fait appel à des médecins – militaires – qui constituent des équipes avec des infirmiers. Ces équipes se succèdent. L'une d'elles, la troisième, a, du mercredi 18, à 18 heures, au jeudi 19, à 9 heures, examiné à elle seule deux cent dix blessés dont un secrétaire a dressé la liste. Cela donne une idée de l'inconscience des services qui ont décidé le ministre à indiquer un nombre total de cent trente-neuf blessés ! »

De fait, pour le moment, aucune statistique rigoureuse ne permet de chiffrer, avec exactitude, les morts et les blessés algériens. Mais parler de cinquante à cent morts, selon les renseignements, encore fragmentaires, dont on dispose, ne paraît pas excessif.

2

Pourquoi ont-ils manifesté ?

Les travailleurs algériens de la région parisienne sont « descendus dans la rue », le 17 octobre, pour protester contre la répression policière dont ils sont victimes, depuis des mois ; contre les enlèvements, les disparitions, les assassinats, les vols, les coups, les tortures. Ils ont manifesté, enfin, pour protester contre les mesures discriminatoires que prétendait leur imposer le préfet de police.

Le 6 octobre, le cabinet du préfet Papon publiait le communiqué suivant :

« Dans le but de mettre un terme sans délai aux agissements criminels des terroristes algériens, des mesures nouvelles viennent d'être décidées par la Préfecture de police.

« En vue d'en faciliter l'exécution, il est conseillé, de la façon la plus pressante, aux travailleurs algériens de s'abstenir de circuler la nuit dans les rues de Paris et de la banlieue parisienne et plus particulièrement de 20 h 30 à 5 h 30 du matin. Ceux qui, par leur travail, seraient dans la nécessité de circuler pendant ces heures pourront demander au secteur d'assistance technique de leur quartier ou de leur circonscription une attestation qui leur sera accordée après justification de leur requête.

« D'autre part, il a été constaté que les attentats sont, la plupart du temps, le fait de groupes de trois ou quatre hommes. En conséquence, il est très vivement recommandé aux Français musulmans de circuler isolément, les petits groupes risquant de paraître suspects aux rondes et patrouilles de la police.

« Enfin, le préfet de police a décidé que les débits de boissons tenus et fréquentés par des Français musulmans d'Algérie doivent fermer, chaque jour, à 19 heures. »

L'institution du couvre-feu pour tous les Algériens, présenté comme un « conseil » par M. Papon, est, en fait, un *décret* qui a aggravé, de façon dramatique et insupportable, la situation des travailleurs algériens. Les soumettant à un régime discriminatoire, de caractère raciste, il empêche un grand nombre d'entre eux de prendre un repas le soir, leur interdit les emplois qui les feraient circuler hors des heures permises et les livre encore plus complètement aux visites domiciliaires des « harkis » et aux rafles des policiers. Ceux-ci, d'ailleurs, déchirent, sans les lire, les « autorisations de circuler après 20 heures » délivrées par leurs employeurs et visées par la Préfecture.

3

Manifestation pacifique et répression

Toute la presse – même la plus conformiste – a été unanime à reconnaître le caractère pacifique de la manifestation du 17.

Aucun policier n'a été blessé par balle et la police, qui a soigneusement fouillé les douze mille Algériens arrêtés ce soir-là, n'a trouvé sur eux aucune arme : pas un revolver, pas un couteau n'a été saisi.

Jean Ferniot écrit, dans *France-Soir* (du 20 octobre) :

« On a dû constater que les musulmans respectaient des consignes très strictes de calme et que leur seul cri, qui ne peut être considéré comme séditieux depuis qu'il fut lancé par le général de Gaulle, était celui d'"Algérie algérienne". »

De même, Pierre Viansson-Ponté, dans *Le Monde* (20 octobre) :

« Avec un peu de recul, certains faits, qui avaient été mal connus à l'issue des manifestations de mardi soir, apparaissent mieux.

« La question de savoir si des manifestants algériens, armés, ont fait feu sur le service d'ordre demeure très controversée. À l'issue du Conseil des ministres, mercredi matin, M. Terrenoire avait indiqué que deux policiers avaient été blessés par balles. Dans la soirée, à la tribune de l'Assemblée, M. Roger Frey a déclaré que des coups de feu avaient été "tirés" sur le boulevard de Bonne-Nouvelle et d'autres "échangés" auprès du pont de Neuilly ; mais s'il a précisé que deux morts et huit blessés avaient été atteints "par des balles" parmi les manifestants, il n'a pas précisé la nature des blessures reçues par les policiers. De nombreux témoins des rassemblements d'Algériens et des débuts des manifestations affirment qu'à ce stade tout au moins les cortèges n'étaient pas menaçants et que la démonstration se voulait non violente. »

Et Denis Perier-Daville, dans *Le Figaro* (23 octobre):

« Tous les nombreux témoins des manifestations de ces derniers jours ont pu constater que, sauf de très rares exceptions, les manifestants se laissaient appréhender sans la moindre résistance. La police ne fait, d'ailleurs, état d'aucune arme saisie.

« Or, il résulte de diverses indications précises et concordantes, portées à notre connaissance, que le nombre de blessés musulmans serait très élevé.

« Il convient d'en déduire que nombre de victimes auraient été frappées *après leur arrestation*, au cours de scènes de "violence à froid" que nous avons déjà dénoncées samedi. »

La répression

En effet, la répression policière fut d'une violence inouïe. Des milliers d'Algériens parqués comme du bétail au Palais des Sports ou au stade de Coubertin, des centaines d'autres matraqués, battus à mort dans les commissariats et dans les centres de tri.

« Nous continuons de recevoir, au sujet des conditions d'internement des Nord-Africains arrêtés vendredi dernier, des précisions fort pénibles. Très justement, le général de Gaulle parlait, il y a peu de jours, des pays qui, en cédant aux chantages, risquent de "perdre leur âme". Mais il y a bien des manières, pour un pays, de "perdre son âme".

« Si nous avions un vrai Parlement, c'est dès la fin de la semaine dernière qu'une commission d'enquête aurait pénétré dans les centres de tri, d'où les journalistes sont, évidemment, repoussés avec tant de soin. »

(*La Croix*, 25 octobre 1961)

Même cri d'alarme dans *Le Figaro* (23 octobre), où Denis Perier-Daville écrit :

« Nous pouvons indiquer que les sept mille personnes gardées d'abord au Palais des Sports puis dans un des halls du Parc des Expositions, à la porte de Versailles, n'ont pu prendre de repos depuis plusieurs jours et, privées de sommeil, sont épuisées.

« La situation serait encore beaucoup plus critique au centre de tri de Vincennes. Nulle part l'aide de la Croix-Rouge ne paraît avoir été sollicitée en ce qui concerne les hommes appréhendés.

« Aussi avons-nous, au début de l'après-midi de samedi dernier, saisi les pouvoirs publics d'une demande afin qu'un collaborateur de notre journal puisse se rendre sur place dans deux de ces centres.

« Cette autorisation, en dépit de notre insistance, nous a été refusée. Refus absurde et maladroit, ne serait-ce que par son caractère illogique et contradictoire. »

Aucun journaliste, en effet, n'a été autorisé à se rendre dans un des centres de tri où, pendant près d'une semaine, des milliers d'Algériens ont vécu l'« enfer concentrationnaire ».

En dépit de ce black-out organisé par le ministère de l'Intérieur, la vérité commence pourtant à apparaître. Des témoins ont parlé.

Un jeune soldat du contingent, affecté à la garde des prisonniers musulmans, raconte ce qu'il a vu au Parc des Expositions (porte de Versailles) :

« Nous chargeons les camions de café. Les cuisiniers ont "négligé" de le sucrer. Ils ont uriné dedans, apprenons-nous après. La distribution est facile. Les Algériens sont calmes.

« Nous entrons dans le hall d'exposition. Là, nous sommes aux premières loges. Le matraquage continue. Un Algérien descend, il tombe ; on le redresse à coups de poing, de pied, de crosse. Il avance malgré tout. On le fouille. À l'infirmerie, on devra lui faire des attelles. Il a le tibia et le péroné brisés, le bras cassé. Un vieillard descend, pas de pitié pour lui. Un autre tombe devant le car, tous les autres passent sur lui. L'un a une fracture du rocher, il mourra, seul, dans un coin. L'autre a la joue ouverte, on voit ses dents. Certains sont méconnaissables par les coups, avant d'arriver; on n'épargne personne: jeunes ou vieux. Tous débarquent comme le bétail à la Villette…

« Un peu refaits, nous repartons. À deux, nous passons dans les rangées, en quête de gars malades. Nous prenons les plus abîmés. Un gars est étendu, on vient nous chercher. Réflexion: "Qu'il crève, tant mieux, mais ce serait moche pour ceux qui sont avec lui." Le gars a une rétention d'urine: coup de pied dans les parties… interdiction d'aller uriner! À l'infirmerie, il n'y a pas de quoi le sonder. Il faut attendre le lendemain pour l'évacuer sur l'hôpital. J'en prends un autre pour le panser: six à huit coups de matraque sur la tête. »

(*Témoignage chrétien*, 26 octobre 1961)

Un autre soldat du contingent affecté, lui, au stade de Coubertin, a pris des notes. Il écrit:

« *Mardi 17 octobre 1961, dans la nuit*: arrivée des cars; les Algériens, mains sur la tête, doivent passer entre deux haies d'agents qui les matraquent avec leurs "longs bâtons".

« Ils pénètrent dans une pièce où ils doivent jeter, en vrac, montres, portefeuilles, briquets, cigarettes, gamelles, etc. On leur "conseille" de garder leurs papiers, mais certains les jettent dans la cohue.

« *Le lendemain matin*: ils sont deux mille, répartis dans deux salles; dans la salle de basket, ils sont assis sur les gradins, interdiction de s'étendre. Il n'y aura, d'ailleurs, bientôt plus la place. Dans l'autre salle, ils sont sur la piste, contenus par des barrières; l'espace est si réduit qu'ils se relaient pour s'asseoir par terre. Tout autour, les gendarmes distribuent des coups de crosse, presque au hasard.

« Pendant vingt-quatre heures, ils n'ont rien à boire ni à manger. Ils ménagent un espace au centre de la foule pour leurs excréments: rien n'était prévu. La puanteur est vite atroce. Il n'existe aucune aération.

ratonnades à paris

cahiers libres n° 29

FRANÇOIS MASPERO

les harkis à paris

dossier présenté par paulette péju

cahiers libres n° 23

FRANÇOIS MASPERO

Couvertures
des éditions de 1961

Photos de Elie Kagan (© Musée d'Histoire contemporaine/ Université de Paris, BDIC).

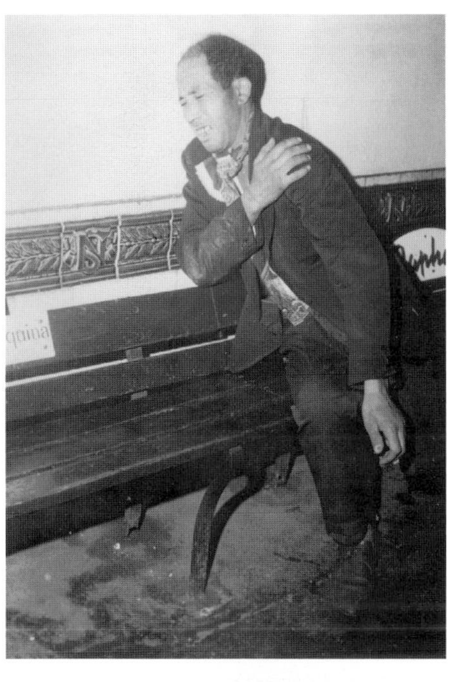

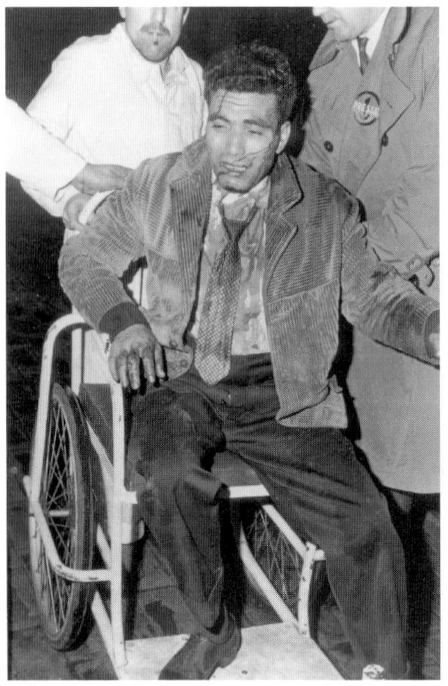

« Les plaies récentes sont encore à nu. Un médecin du contingent travaille sans arrêt. Débordé, il supplie les gendarmes d'arrêter de frapper. Pas un homme qui ne soit blessé: plaies du cuir chevelu, de la face. Les mains, dont les phalanges sont fracturées, sont énormes, violettes.

« *Jeudi 19*: amélioration: les détenus vont au WC unique par groupes de dix. Pour y aller, ils doivent courir sous les coups. L'un d'eux s'abat, fauché d'un coup de pied dans les tibias.

« On amène un peu d'eau. Ruée. Un détenu a enfin rempli son quart. Un gendarme envoie à terre homme et quart.

« Un homme ne peut obéir à un gardien qui lui ordonne de se lever: il a une jambe cassée. Il est là depuis quarante-huit heures quand on l'évacue avec d'autres sur l'hôpital Corentin-Celton.

« Des flics passent au crible les objets que les Algériens ont été contraints d'abandonner. Ils prennent les briquets à gaz et laissent, dégoûtés, les briquets à essence. L'un d'eux remarque: "Ces bougnoules, ça fume des gitanes !" Ils empochent montres, argent, portefeuilles.

« Au Palais des Sports, au stade Coubertin, à Vincennes, des centaines de blessés sont restés des heures, des jours sans soins ».

M. Claudius Petit, vice-président de l'Assemblée nationale, a publiquement dénoncé le scandale. M. Roger Frey, ministre de l'Intérieur, n'a rien trouvé à lui répondre.

M. Claudius Petit a dit notamment: « Au Palais des Sports, la troisième équipe [deux médecins, deux infirmiers], qui fut de service du mercredi 18 à 18 heures au jeudi 19 à 9 heures a soigné deux cents blessés [combien en avaient soigné les deux premières ?]... Des cuirs chevelus fendus, des mains brisées, car les malheureux se protégeaient la tête, des jambes fracturées... Pas de lavabos, deux douches, celles des boxeurs, pour laver les plaies et même pour aseptiser les instruments... À 23 heures, on refuse des ambulances pour emmener les blessés. Les médecins s'agitent, un commissaire divisionnaire, plus compréhensif, fait transporter les blessés dans les hôpitaux... Certains se sont présentés deux fois au médecin. Ils avaient été frappés après la première visite. Dans la nuit de mercredi, les emprisonnés n'avaient encore ni bu ni mangé... Ce n'est que par hasard que les médecins soignèrent les blessés, parqués, c'est le mot, dans le Palais des Expositions. »

« La lutte est placée sur le plan du racisme... Après la honte de l'étoile jaune, va-t-on connaître la honte du croissant jaune ? C'est la pente fatale. Nous vivons ce que nous n'avons pas compris que les Allemands vivaient quand Hitler s'est installé. »

Les journalistes à qui l'on avait refusé l'accès des centres ont pu, du moins, se rendre au bidonville de Nanterre, à la Goutte-d'Or, dans le XIIIe arrondissement...

Ils ont découvert un monde « insoupçonnable », écrit Jean Cau dans *L'Express* (26 octobre). Voici ce qu'il a vu et entendu à Nanterre :

«... Ces derniers jours, je n'ai vu que des visages désertés par le sourire, des yeux tuméfiés, des dos bleuis à coups de crosse ; je n'ai entendu que des récits où revenaient, en litanie, les mêmes mots : rafles, coups, tortures, disparitions, assassinats.

«... Pour monter les étages, le garçonnet frottait des allumettes. Ils m'ont fait asseoir. Ils m'ont offert de l'orangeade et des petits gâteaux. Ensuite, il a bien fallu parler. La mère, cinquante et un ans, qui était dans le lit, s'est excusée. Elle ne pouvait pas bouger "à cause de son dos qui était tout bleu". Mais je voyais son visage violet et noir, avec un œil – l'œil gauche – gonflé comme un œuf et dont la cornée était rouge vif.

On te crèvera !

« – Le docteur, il a dit que l'œil était mauvais et que je perdrais cette vue de ce côté.

« Les deux fils se taisent. Le père regarde sa femme. Elle me dit qu'elle était allée manifester "parce qu'on nous tue trop et parce que, maintenant, on doit rester dans la maison comme des rats". Elle défilait avec sa fille et l'un de ses fils lorsque ce fut la charge.

« – Un policier, il a mis son revolver sur ma fille…

« Elle est intervenue. Un autre policier l'a jetée à terre et elle a reçu une volée de gifles, de coups de poing et de pied et quelques coups de matraque. On les a jetées, elle et sa fille, dans un car.

« – Là, les policiers, ils m'ont tordu le bras, regarde… et il me criait : "Salope ! On te crèvera, on te videra comme un lapin ! Dis : Algérie française, salope !" Et il m'a dit des choses que je peux pas répéter. Alors, moi, j'ai crié "Vive l'Algérie indépendante ! Vive mes frères !" Et j'ai dit au policier : "Tu peux me tuer si tu veux, mais je ne dirai pas autre chose."

« On l'a jetée dans le commissariat du Val-de-Grâce. Sous ses yeux, sa fille a attrapé une dégelée de coups de pied dans le ventre. Dans la nuit, on l'a jetée sur la chaussée. Elle a réclamé sa fille. Les policiers ont levé leurs matraques. Titubant, se traînant, elle se demande comment elle a pu rentrer chez elle.

« – Et votre fille ?

« – Elle n'est pas revenue. Y'a trois jours, et elle n'est pas revenue. »

Au bouillon

«… Il s'appelait Aoudji. Il était peintre. Il avait vingt-trois ans et habitait le quartier de la Goutte-d'Or.

« – Ce n'était pas un militant du Front. S'il l'avait été, je ne vous le cacherais pas, car ce n'est pas une honte, mais un honneur.

« – Sympathisant ?

« – Évidemment, comme nous le sommes tous. Comme le sont tous ceux qui ne sont pas adhérents ou militants.

« Aoudji a été arrêté par les harkis au cours d'un ratissage de quartier, frappé, couché sur des tessons de bouteilles, fiché, relâché. On l'arrête une deuxième fois : "Ah ! toi, tu as déjà été arrêté, hein ?" Nouveau passage à tabac et on le libère. Six mois plus tard, nouvelle rafle.

« – On a dû lui dire, en consultant le fichier : “Toi, tu as déjà été arrêté deux fois, salaud !” Cette fois, trois jours après son arrestation, la police est venue et a dit aux locataires de l’immeuble : “Votre copain Aoudji a été foutu au bouillon. S’il y en a qui veulent venir reconnaître son corps, à la morgue...” Voyez-vous, monsieur, ça se passe comme ceci : il y a une rafle ou un ratissage. On nous embarque. On nous fiche et on nous libère. La deuxième fois, forcément, on nous accuse d’avoir déjà été arrêtés, etc.

« C’est un rescapé qui a raconté la mort d’Aoudji. Lui aussi a été jeté dans la Seine avec une douzaine de ses compagnons. Mais il savait nager et pouvait encore, malgré les coups, remuer les bras. Aoudji, lui, ne savait pas nager et, lorsqu’il a été poussé dans la Seine, à peine avait-il la force de tenir ses bras levés, mains croisées derrière la nuque.

...

« Sont entrés dans le café, Youcef, tabassé par les harkis la semaine dernière ; Kadej, dont un copain a été expédié en Algérie tout récemment : “La femme et les six enfants sont ici... Pas possible de revenir en Algérie, eux. Savent pas où est Kadej.”

« Sont entrés trois manœuvres qui travaillent dans le métro : “On arrive du travail à sept heures et demie, des fois huit heures. Alors, couvre-feu ! Et comment tu achètes le pain, la soupe, le pétrole ? Alors, tu manges pas ? Et rester dedans ?” »

Jean Carta, de *Témoignage chrétien*, raconte, pour sa part :

« Dans le bidonville de Nanterre, cinq jours après la première manifestation, j’ai rencontré, parmi bien d’autres, un musulman aux yeux fiévreux qui avait le bras dans le plâtre : “Dans le car, les flics nous frappaient à tour de rôle. Il y en a un qui a cassé sa longue matraque sur mon bras.” Il montre ses plaies, en différents endroits de la tête, parle des coups de pied reçus dans le ventre, alors qu’il gisait sur le sol et que le car roulait vers le Palais des Sports. “Là, on nous a parqués à même la terre, par milliers...” Il me montre ses vêtements couverts d’une terre jaune. “Il y avait des blessés partout. Pendant quarante-huit heures, aucun moyen de satisfaire à l’hygiène la plus élémentaire. Il fallait dormir au milieu des excréments, dans nos vêtements trempés. Les autres essayaient de chanter pour se soutenir. Mais moi je ne pouvais plus : ma tête, mes bras me faisaient mal.” Au bout de quelques heures, on l’amène à un médecin : “J’avais peur. De temps en temps, ils en piquaient un, qu’ils prenaient pour un chef, et il ne revenait plus. Allait-il me tuer ?...”

« On l’a libéré au bout de quatre jours, après lui avoir volé 5 000 francs et ses papiers. Il ne peut plus travailler. Il se demande comment vivre, comment manger dans les semaines qui viennent. »

(*Témoignage chrétien*, 26 octobre 1961)

Et Michel Legris, dans *Le Monde* :

« Dans le café où l’on me parle, les regards inquiets se dirigent de temps à autre vers la porte, restée ouverte. On redoute les représailles que la police pourrait exercer sur ceux qui viendraient à se plaindre de son attitude au cours des journées de manifestations.

« Le commerçant parle le premier : “Jeudi dernier, les policiers ont fait entrer dans mon magasin des Algériens, les ont alignés face au mur, mains en l’air. Ils ont ensuite pris les oignons, les fruits, les poids de la balance et les ont jetés sur les étagères et sur moi. L’un d’eux m’a également frappé d’un coup de crosse au menton.” »

(*Le Monde*, 27 octobre 1961)

Chaque nuit, les « harkis » cantonnés à Romainville « font des descentes » à Nanterre, à la Goutte-d’Or, dans les arrondissements de Paris où les Algériens sont nombreux.

Les habitants de Nanterre déclarent :

« Les patrouilles rôdent sans arrêt.

« – Ils sont entrés chez mon voisin, l’autre nuit. Ils ont dit qu’ils avaient froid. Ils ont réveillé tout le monde et allumé le poste. Et cette musique leur a donné de drôles d’idées :

“Chante !” lui ont-ils ordonné. Quand le voisin a eu chanté, ils ont ri. Alors, ils se sont assis et ils ont encore dit : “Maintenant, tu vas danser.” Ils tapaient des mains pour l’accompagner. Et lui, tout nu dans son caleçon, obligé de danser devant eux ! Ce n’est pas tout. Quand le voisin a eu dansé, ils ont encore dit : “Maintenant tu as bien chanté et tu as bien dansé, tu n’as plus besoin de poste. Et ils l’ont démoli…”

« Le poste, c’est rien. Ils auraient pu enlever le toit, démolir la porte, casser la vaisselle, vider partout les maigres provisions, emporter l’argent (il paraît que toute somme détenue par un habitant du bidonville est suspecte de constituer une collecte du FLN !). Ils l’ont fait ailleurs…

« Au petit jour, gare encore à ceux qui partent au travail :

« – Ils m’ont arrêté, avant-hier, à 7 h 30, dans l’avenue, là, tout près. J’allais au chantier, comme d’habitude. Ils m’ont dit : “Monte dans le car.” Ils m’ont emmené aux Grandes-Carrières. J’ai été battu. Vingt-quatre heures sans manger et sans boire. Ils m’ont relâché cet après-midi. Qu’est-ce que j’avais fait ?…

« Travailler, dans ces conditions ? Risquer quotidiennement la rafle ?

« – D’ailleurs, ils nous déchirent nos certificats de travail, les papiers de la Sécurité sociale. Après, on dit que nous sommes hors la loi ! »

(*L’Humanité*, 28 octobre 1961)

Jean-Louis Guenessen, de *France-Soir*, a entendu quelques Algériens habitant le XVIIIe arrondissement :

« – Je sors le col ouvert, dit Cherif B… La cravate, c’est trop dangereux. La police, pas les harkis, m’a arrêté la semaine dernière. Je portais mon beau costume. Au commissariat, un policier l’a attrapé par le revers et a essayé de le déchirer. Comme il n’y est pas arrivé, il a pris ma cravate et a serré, serré. Alors, vous comprenez…

« – On m’a raflé dans la rue et en plein jour, dit un autre. J’ai fait treize ans dans l’armée française, l’Indochine, la Corée. Mutilé de guerre. Je leur ai dit au commissariat. “Ben Bella aussi était dans l'armée", ils m'ont répondu. Et, à dix, ils sont tombés sur moi. Avant de m'évanouir, j'ai entendu le chef dire: "Ne tapez pas avec vos crosses, elles vont se casser." Et ils ont pris des barres de fer de 1,50 m.

« Il y a une femme, algérienne, qui dit: – Mon mari a été arrêté il y a vingt-sept jours. C'est un travailleur, peintre aux usines X... La nuit, les agents sont venus le chercher. Je ne sais pas pourquoi. À coups de pied, ils lui ont fait descendre l'escalier. J'ai pu voir mon mari cinq minutes, à Vincennes, à travers des grilles. Si on l'envoie en Algérie, que vais-je devenir?

« Une autre femme. Petite rousse, c'est une Française. Elle a épousé un musulman :

« – J'ai été arrêtée le 17 avec lui, à l'Opéra. On m'a relâchée, mais lui, au commissariat, on l'a battu à coups de fouet. Je ne sais toujours pas où il est.

« Un autre prend la parole et affirme:

« – Mercredi 17 octobre, le soir des manifestations à Nanterre. Il était 11 heures du soir, près du pont du Château. Une trentaine d'Algériens sont ramassés. Roués de coups, ils sont jetés dans la Seine, du haut du pont, par les policiers. Une quinzaine d'entre eux ont coulé. »

(*France-Soir*, 27 octobre 1961)

Un Algérien ne doit pas courir...

« – Je ne voulais pas rater mon train, ma femme venait d'accoucher. J'étais en retard. J'avais peur d'arriver après l'heure à l'hôpital. Un agent m'a arrêté et m'a demandé pourquoi je courais. Je lui ai dit. Il a bien voulu me laisser partir. Mais il y avait un type avec lui qui n'a pas voulu, lui. On m'a gardé deux jours.

« Et puis, comme pour nous rappeler qu'à côté de la lutte politique il y a un terrible drame humain, il ajoute le pire, en souriant: "C'était un peu de ma faute, puisque j'avais couru." »

(Pierre Dumayet, *Candide*, 26 octobre 1961)

4

Des Algériens disparaissent…

Matraquages, tortures, lynchages dans les commissariats et les « centres de tri », assassinats au coin des rues ne composent qu'un tableau encore incomplet de la sauvage « répression » qui décime aujourd'hui la communauté algérienne. Il faut y ajouter, comme aux jours les plus sombres de la « bataille d'Alger », le long défilé des disparitions.

Longtemps, on hésita à y croire. Des bruits, des rumeurs circulaient, des récits étaient rapportés, de bouche à oreille. Des mères, des femmes, des enfants attendirent en vain l'homme dont aucune police n'avait annoncé l'arrestation. Alors ? Interné, séquestré, assassiné et où, comment, par qui ?

Libération, le 19 octobre, rompit enfin le silence et posa brutalement la question :

« Est-il exact que douze Algériens ont été, la semaine dernière, précipités dans la Seine ?

« Est-il exact que plusieurs Algériens ont été récemment pendus dans les bois de la région parisienne ?

« Est-il exact que chaque nuit des Algériens disparaissent sans qu'on puisse retrouver leur trace dans les prisons ou les centres de tri ?

« Si tout cela est exact, et nous avons de bonnes raisons de le croire, qui sont les auteurs de ces crimes ? »

Personne, bien entendu, ne répondit mais, du coup, la presse s'émut, les informations commencèrent à paraître. Jour après jour, des dépêches tragiques se succédèrent.

Les cadavres de deux Algériens retirés de la Seine à Argenteuil

« Les cadavres de deux Algériens ont été repêchés dans la Seine, à Argenteuil. Tous deux avaient les mains liées au dos et les jambes ficelées. L'un d'eux avait, en outre, un fil de fer électrique enroulé autour du cou.

« Les deux noyés portaient des traces de blessures à la tête.

« Les deux hommes paraissent âgés d'une trentaine d'années. L'un était vêtu d'un complet-veston gris, l'autre d'un veston gris également et d'un pantalon gris clair. Le premier portait des chaussures marron à boucles et le second des souliers noirs également à boucles. »

(Agence France-Presse, 24 octobre 1961)

L'autopsie de trois cadavres de Nord-Africains retirés de la Seine est ordonnée

« Des mariniers ont retiré mardi de la Seine les cadavres de trois Nord-Africains qui flottaient à peu de distance l'un de l'autre, près du pont de Bezons. Les corps avaient séjourné longtemps dans l'eau et il a été impossible, au premier examen, de déterminer dans quelles conditions les Algériens ont été tués. Le parquet de Versailles a ordonné une triple autopsie. »

(*Le Monde*, 26 octobre 1961)

Les cadavres de deux Algériens découverts à Clichy-sous-Bois

« Deux cadavres d'Algériens en état de décomposition avancée ont été découverts en bordure de la route départementale 129, près du lieudit Les Poules-Blanches, à Clichy-sous-Bois.

« Ils avaient les mains liées derrière le dos et portaient des traces de strangulation. Les deux cadavres étaient démunis de pièces d'identité. »

Etc., etc.

(*Libération*, 26 octobre 1961)

Le scandale éclatait. Des récits de témoins, des témoignages de rescapés vinrent le confirmer. *Le Monde*, le 25 octobre, dans un important commentaire à l'une de ces informations, déclarait sans ambages :

« Ce n'est pas la première fois que des corps d'Algériens sont retirés de la Seine. On attribuait jusqu'à présent aux règlements de comptes entre le FLN et le MNA ces assassinats [...].

« Cependant, depuis quelques semaines, et surtout depuis le couvre-feu imposé aux musulmans, des organisations syndicales et des groupements politiques attribuent la responsabilité de certaines de ces "exécutions sommaires" à la police [...].

« Le journal *Témoignages et Documents*, dans son dernier numéro, assure que "des hommes auraient été jetés dans la Seine" après avoir été interpellés par des policiers, mais que certains d'entre eux ont pu se sauver.

« Il ne faut probablement pas espérer, dans le climat actuel, que leurs témoignages puissent être recueillis et contrôlés afin d'apporter la lumière sur de telles affaires. Du moins peut-on souhaiter que les opérations menées par la police s'entourent de moins de mystère : le fait que la presse en soit systématiquement tenue à l'écart et qu'elle n'ait pu visiter les camps de triage ou de regroupement dans la région parisienne laisse, en effet, le champ libre à toutes les suppositions. »

Témoignage chrétien, le lendemain, posait d'autres questions :

Dans les bois de Meudon...

« ... Est-il vrai que plus de cinquante Algériens auraient trouvé la mort au cours et après les manifestations, tandis que plusieurs centaines, grièvement blessés, seraient actuellement soignés dans divers hôpitaux de la région parisienne ?

« Est-il vrai que, dans le bois de Meudon, près de trente Algériens auraient été pendus par des CRS ?... »

Mais déjà des nouvelles, qui affluaient aux journaux, apportaient la réponse. Sous le titre « C'est le sixième depuis lundi... Un cadavre d'Algérien retiré de la Seine au Pont-Neuf », *L'Humanité* écrivait, le 26 octobre :

« Mardi soir encore (mais on ne l'a su qu'hier), un autre cadavre d'Algérien a été retiré de la Seine. C'est au Pont-Neuf, cette fois, qu'a été faite la macabre découverte. Le corps de l'Algérien, précise l'AFP, portait des traces de coups à la tête.

« Officiellement, c'est le sixième cadavre d'Algérien retiré de la Seine depuis le début de la semaine. Lundi soir, en effet, deux corps étaient découverts à Argenteuil et trois autres, mardi après-midi, au pont de Bezons.

« Des organisations syndicales "attribuent, comme l'écrivait le journal *Le Monde*, la responsabilité de certaines de ces exécutions sommaires" à la police [...].

« Mais ce qui bouleverse l'opinion semble laisser le préfet de police de marbre ! Aucune réponse, aucun éclaircissement n'est venu, de sa part, rompre un silence de plus en plus étrange. À moins que...

« À notre tour d'interroger.

« Est-il exact que, dans la matinée du samedi 14 octobre, quinze Algériens ont été arrêtés dans le XVIIIe arrondissement de Paris ? Est-il exact que, dans la soirée du même jour, ces quinze Algériens, transportés en car, aient "disparu" dans la Seine, au pont de Saint-Ouen ?

« Impossible qu'officiellement on ne soit pas au courant, sauf peut-être que certains de ces Algériens savaient nager et qu'ils ont pu, ensuite, faire le récit de leur tragique mésaventure... »

De fait, sans s'attirer la moindre rectification, le moindre démenti, le même journal pouvait préciser, le 27 octobre :

« Jeudi 19 octobre, à 7 h 15 du matin, un ouvrier de chez Ericsson (Colombes) se présentait à l'entreprise. Grelottant, trempé jusqu'aux os, il venait de passer une nuit dans la Seine : c'était un Algérien. Il a vingt-six ans. Sa femme est en Algérie, avec ses cinq enfants. Les seules ressources de la famille sont le maigre salaire du père. Pour la police, cet ouvrier, père de cinq enfants, aurait dû être porté disparu…

« Le mercredi 18 octobre, à 22h30, quatre ouvriers algériens sortent du foyer nord-africain d'Argenteuil (rue du Parc). Ils vont faire leurs courses. Deux voitures 403 (dont une blanche) stationnent à côté. À peine les Algériens ont-ils fait une centaine de mètres que des hommes en civil, revolver au poing, sortent des voitures. Sous la menace des armes, les quatre Algériens sont contraints de prendre place dans les 403 qui démarrent aussitôt. Arrivées sur le Pont-Neuf, les deux voitures stoppent. Les Algériens sont alors copieusement matraqués et assommés avant d'être jetés dans la Seine. Le survivant a réussi à gagner la berge. Mais, de peur d'être aperçu, il reste toute la nuit sous le pont, dans l'eau. Le matin, au petit jour, il a pris le chemin de l'usine où il a séché ses vêtements à la chaleur des fours. Son frère lui a donné un pull-over pour regagner son domicile. Il était terrorisé et pleurait. Fortement commotionné, il a dû être hospitalisé.

« Cet ouvrier algérien a échappé à la mort. Mais ses trois camarades, que sont-ils devenus ?

Sans nouvelles de neuf travailleurs algériens de chez Ericsson

« Dans les entreprises, les délégués syndicaux et les militants communistes, les travailleurs demandent chaque jour des nouvelles de leurs camarades algériens.

« Mercredi soir, 25 octobre, nous avons assisté au recensement organisé chez Ericsson. Le jeudi soir, 18 octobre, il manquait seize travailleurs algériens à l'usine. Le mercredi 25, il y avait encore onze absents. Deux ont été expulsés : Hachatchi à Constantine et Amar Guélif à Alger. Des neuf autres, on est sans nouvelles…

« Aux services communaux d'Argenteuil, trois Algériens sont absents ; chez Bernard-Moteur, il en manque quinze... Et ce ne sont là que quelques exemples. »

Des cas de disparitions

Il n'y a plus, aujourd'hui, aucun mystère des « disparitions ». Des rescapés ont été retrouvés. Ils ont parlé. Ils ont raconté comment, arrêtés, matraqués, assommés, ils avaient été ensuite jetés à la Seine, étranglés ou pendus par des policiers parisiens.

Voici, par exemple, comment *Le Monde*, le 24 octobre, rapporte l'histoire de Mohamed Badache :

Un musulman de Paris dépose une plainte pour tentative d'homicide volontaire

« Un musulman résidant en France depuis sept ans, M. Mohamed Badache, vient de déposer une plainte contre X pour tentative d'homicide volontaire ; mais, depuis cette demande, il aurait été appréhendé par la police ; son avocat est, en tout cas, sans nouvelles de lui.

« Ouvrier du bâtiment demeurant en hôtel, 35, rue Mademoiselle, M. Badache était venu au Palais de Justice le 17 octobre dernier pour y déposer une plainte contre X, motivée par les faits suivants. Il racontait que dans la nuit du 15 au 16 octobre, vers 1 heure du matin, il était descendu de sa chambre pour sortir dans la rue enchaîner sa bicyclette, ce qu'il avait oublié de faire avant le couvre-feu.

« Il déclarait avoir été interpellé alors par deux gardiens de la paix patrouillant à bord d'un side-car, qui lui demandèrent ses papiers. Il les montra mais, assure-t-il, la patrouille le fit monter dans le side, lui passa les menottes et l'emmena. Il ajoute qu'il fut conduit dans le bois de Meudon où il fut, dit-il, frappé, jeté à terre et aussi serré au cou par un garrot.

« Sa plainte fut donc déposée le 17 octobre, confirmée et contresignée les 18 et 19 octobre. Entre-temps, M. Badache, soucieux de ne pas rester sans papiers, s'adressa au commissariat, où il aurait exposé son aventure. Il devait revoir son avocat vendredi dernier, à 17 heures, et ce dernier lui avait adressé une lettre pneumatique confirmant le rendez-vous. Il ne vint pas. »

Il ne fallut pas moins de dix jours pour retrouver la trace de Mohamed Badache : à l'hôpital Broussais. Et dans quel état ! Alors que, le 17 octobre, ce garçon de vingt-six ans ne portait au cou qu'une marque très nette de strangulation, il avait, le 28 octobre, subi de nouveaux sévices tels qu'il était dans l'incapacité de se déplacer et que le juge d'instruction dut se rendre à son chevet.

Le Monde, le 29 octobre, écrivait :

M. Badache
qui avait disparu après avoir porté plainte
est retrouvé dans un hôpital

« M. Mohamed Badache, l'Algérien dont la disparition avait été signalée depuis qu'il avait porté plainte pour tentative d'homicide, a été retrouvé vendredi soir. Il était hospitalisé à l'hôpital Broussais dans un état grave.

« M. Bonnefous, juge d'instruction, l'entendra probablement au début de l'après-midi de samedi devant son avocat, Me Lederman.

« M. Mohamed Badache, après avoir été arrêté à son hôtel le 19 octobre, aurait été transféré dans un camp situé apparemment aux environs de Versailles. Les traces de coups sur le corps et les parties génitales indiquent quels traitements lui ont été alors infligés.

« Tandis que ses compagnons étaient libérés, M. Mohamed Badache avait été transporté à Broussais. »

Mais le cas de Mohamed Badache n'est qu'un exemple parmi cent autres. Comme on l'avait vu au printemps 1961 avec l'affaire des « harkis », les langues, aujourd'hui, se délient ; les rescapés, les torturés portent plainte. Leurs dépositions deviennent si nombreuses, si détaillées, si explicites qu'il faudrait un volume pour les publier toutes. On lira plus loin (chapitre 6) quelques-unes des plus caractéristiques.

5

L'opinion française s'émeut

L'ampleur, la férocité de la répression dirigée contre la communauté algérienne, ses caractères ouvertement racistes ont été si scandaleux qu'après la stupeur des premiers jours une vague d'émotion a soulevé l'opinion française.

Dès le 18 octobre, les protestations de nombreux groupements et partis politiques s'élèvent. Le Bureau politique du Parti communiste français déclare :

« Les manifestations de dizaines de milliers d'Algériens qui se sont produites hier, 17 octobre, à Paris et dans la région parisienne, constituent un événement politique d'une importance exceptionnelle.

« Ces manifestations ont donné lieu à de sanglants événements. Les forces de police, dont les informations officielles reconnaissent que pas un des membres n'a été atteint par balle, ont tiré sur des groupes d'Algériens, faisant des morts et de nombreux blessés.

« En manifestant pacifiquement, avec leurs femmes et leurs enfants, les Algériens entendaient protester contre les discriminations, le régime inadmissibles qui leur sont imposés et qui ne cessent de s'aggraver.

« Les travailleurs algériens sont en butte, de la part de la police et des harkis, à des brimades de toutes sortes, à des perquisitions de jour et de nuit, à des brutalités. Nombreuses sont, au cours des dernières semaines, les disparitions d'Algériens.

« En outre, le gouvernement a décidé la fermeture des établissements fréquentés par ces travailleurs à 19 heures, et le couvre-feu une heure plus tard. Il procède à des rafles dans les quartiers et les localités qu'habitent les travailleurs algériens et les transporte en nombre en Algérie où ils sont livrés à la police et aux activistes ultras.

« Hier, les forces de répression ont agi dans la capitale avec une brutalité sans précédent. Tous les témoins ont pu s'en rendre compte.

« Le pouvoir gaulliste semble tout faire pour que s'élargisse encore le fossé creusé entre Français et Algériens par sept années de guerre. Il tend, en favorisant la discrimination et la haine raciales, à rendre la situation des Algériens travaillant en France aussi difficile et dramatique que celle de leurs compatriotes d'Alger et d'Oran.

« Les travailleurs, les démocrates français doivent prendre conscience de la gravité de la situation après les événements du 17 octobre.

« Créant un climat d'insécurité et tendant à dresser la population française contre les travailleurs algériens, de tels actes font le jeu des factieux, des fauteurs de guerre civile, des tueurs de l'OAS, encouragés dans leurs entreprises par les complaisances du pouvoir.

« La répression contre les Algériens vivant en France compromet toujours davantage les relations futures entre la France et l'Algérie.

« Fidèle à ses principes d'internationalisme prolétarien et conscient de défendre l'intérêt national, le Bureau politique du Parti communiste français dénonce la politique colonialiste du pouvoir gaulliste, illustrée, une fois de plus, par les sanglants événements d'hier.

« Il demande la libération immédiate de tous les emprisonnés et internés du 17 octobre, l'arrêt des expulsions en Algérie et la levée des mesures discriminatoires prises à l'encontre des Algériens.

« Le Bureau politique appelle la classe ouvrière, l'ensemble des républicains à réagir vigoureusement contre la propagande et les mesures de discrimination raciale visant les Algériens.

« Chaque travailleur, chaque démocrate français doit se sentir personnellement menacé par les mesures de caractère fasciste prises à l'égard des travailleurs algériens, ces mesures pouvant, demain, être étendues à eux.

« Le Bureau politique demande que les initiatives soient multipliées en vue d'organiser dans l'unité la lutte de masse dans les usines et localités, afin que se réalise concrètement la solidarité indispensable des travailleurs français et algériens.

« Les manifestations algériennes du 17 octobre font ressortir l'urgence d'en finir avec la guerre d'Algérie. Le Bureau politique insiste sur la nécessité de développer l'action unie pour imposer une véritable négociation avec le GPRA, sur la base de l'application du principe de l'autodétermination, dans le respect de l'unité du peuple algérien et de l'intégrité territoriale de l'Algérie. »

(*L'Humanité*, 19 octobre 1961)

Dès le 18 octobre, à l'initiative de la revue *Les Temps modernes*, un appel à la solidarité avec les travailleurs algériens était lancé dans les milieux universitaires et intellectuels :

« Avec un courage et une dignité qui forcent l'admiration, les travailleurs algériens de la région parisienne viennent de manifester contre la répression, de plus en plus féroce dont ils sont victimes et contre le régime discriminatoire que veut leur imposer le gouvernement. Un déchaînement de violence policière a répondu à leur démonstration pacifique : à nouveau, des Algériens sont morts parce qu'ils voulaient vivre libres.

« En restant passifs, les Français se feraient les complices des fureurs racistes dont Paris est désormais le théâtre, et qui nous ramènent aux jours les plus noirs de l'occupation nazie : entre les Algériens entassés au Palais des Sports en attendant d'être "refoulés" et les Juifs parqués à Drancy avant la déportation, nous nous refusons de faire la différence.

« Pour mettre un terme à ce scandale, les protestations morales ne suffisent pas. Les soussignés appellent instamment tous les partis, syndicats et organisations démocratiques, non seulement à exiger l'abrogation immédiate de mesures indignes, mais à manifester leur solidarité aux travailleurs algériens en invitant leurs adhérents à s'opposer, sur place, au renouvellement de pareilles violences. »

En quelques jours, cet appel recueillait près de trois cents signatures, dont celles d'une trentaine de professeurs au Collège de France ou professeurs d'universités de Paris et de province: Charles Devillers, Jean Dixmier, Jean Dresch, Maurice de Gandillac, Roger Godement, Georges Gurvitch, J.-P. Kahane, Alfred Kastler, André Mandouze, I. Meyerson, Marcel Prenant, Every Schatzmann, Laurent Schwartz, Jean Wahl, etc.

Parmpi les autres signataires, citons, au hasard: Louis Aragon, Emmanuel d'Astier de La Vigerie, Simone de Beauvoir, Roger Blin, André Breton, Michel Butor, Jean Effel, Michel Leiris, André Masson, Jean-Paul Sartre, Claude Lanzmann, Marcel Péju, etc.

Depuis, les protestations, émanant des milieux les plus divers, se sont succédé et il est impossible d'en donner même un bref aperçu. Relevons, pourtant, les plus significatives.

Entre le 23 et le 30 octobre, un certain nombre de professeurs des facultés parisiennes ont lu en chaire, avant de commencer leur cours, une déclaration sur le racisme dont voici l'essentiel:

« Un couvre-feu a été établi à 20 heures pour les Algériens. Quelles que soient les raisons invoquées, c'est une mesure de caractère raciste, inadmissible par principe. Elle n'a de précédent, en France, depuis 1789, que les mesures prises par les nazis sous l'Occupation. Elle ne peut qu'entraîner, et vient déjà d'entraîner, comme vous le savez sans doute, les mêmes excès: après 20 heures, les Algériens sont poursuivis, la police se livre à une chasse au faciès, des hommes sont arrêtés, matraqués, détenus dans les commissariats à cause de leur seule appartenance à une communauté ethnique; ils sont déportés par centaines du jour au lendemain en Algérie, quand ils ne sont pas jetés dans la Seine, leur famille restant en France sans moyens d'existence. Les étudiants et professeurs des USA sont à la tête de la lutte contre la ségrégation raciale ; les étudiants et professeurs français se doivent de mener la même lutte ici. Si les Français acceptent l'institution légale du racisme en France, ils porteront, dans l'avenir, la même responsabilité que les Allemands qui n'ont pas réagi devant les atrocités du nazisme. »

Les curés des paroisses du XIIIe arrondissement ont fait, le 29 octobre, distribuer un appel énergique, déclarant notamment :

« Après les événements du 18 octobre, et à la suite de l'appel du cardinal Feltin, nous avons le douloureux devoir d'attirer votre attention et de pousser un cri d'alarme, avec d'autant plus de force que des hommes qui habitent sur notre arrondissement, et dont nous sommes responsables, furent victimes d'odieuses violences : arrestations, répressions brutales, sang versé, internements, refoulements arbitraires, familles en détresse, disparitions troublantes [...].

« Devant les violences et les injustices, d'où qu'elles viennent, il convient de ne pas rester spectateurs et de savoir qu'il arrive un moment où pitié et prière ne suffisent pas. »

Le Conseil de l'ordre des avocats de Paris, organisme peu suspect de complaisance à l'égard de la révolution algérienne, et dont les interventions d'un tel caractère sont rares, a publié le 2 novembre le texte d'une « délibération » constatant notamment :

« – que des mesures de rigueur ont été prises à l'encontre de toute la population musulmane de Paris et de sa banlieue, que ces mesures ne sauraient être admises dans un pays qui s'honore d'ignorer de telles discriminations raciales ;

« – qu'il résulte, en outre, de tous les éléments d'information recueillis que, lors de la récente manifestation des musulmans à Paris, les manifestants arrêtés ont été traités d'une manière qui viole les notions élémentaires de l'humanité... »

La CFTC a diffusé, le 1er novembre, à l'intention de ses militants, un important document soulignant d'abord l'écrasante responsabilité des autorités dans la répression qui s'est abattue, depuis des mois, sur les travailleurs algériens: « Depuis des mois, déclare-t-elle, les autorités sont parfaitement au courant mais n'ont jamais pris de sanction... »

À l'usage de ces autorités, le document donne ensuite quelques précisions sur la nuit du 17 octobre:

« Des hommes gravement blessés ou dans le coma ont dû être soignés sur place par des infirmiers militaires du contingent, souvent après que la police s'y est longtemps opposée.

« Tout donne à penser que les plus mal en point ont été immergés dans la Seine suivant la méthode habituelle, des corps ayant été repêchés en grand nombre, en aval de Paris, les jours suivants.

« Du témoignage de militants CFTC d'Algérie, il ressort que les Algériens refoulés n'atteignent pas leur "douar d'origine", mais sont, au mieux, gardés dans les camps de concentration. »

Traitant du fonctionnement de la police, la CFTC indique:

« Recrutée depuis quelques années sur le principal critère de l'anticommunisme, elle compte dans ses rangs des "anciens d'Indochine et d'Algérie", à mentalité raciste et fascisante, entraînés à l'emploi des méthodes en honneur dans les guerres coloniales.

« La police est un service public auxiliaire de la justice, dont tous sont responsables, et ce d'autant plus que, disposant d'armes et du pouvoir de contraindre par corps, ses dérèglements sont d'une gravité exceptionnelle lorsqu'elle franchit les limites très précises que toutes les sociétés civilisées mettent à son action pour protéger contre ses abus les innocents et même les coupables. »

Presque journellement, *Le Monde* publie des lettres de lecteurs qui lui font part de leur indignation devant les scènes dont ils ont été témoins, ou les incidents portés à leur connaissance.

Le directeur d'une usine parisienne écrit, par exemple:

« J'emploie, à longueur d'année, cinq ou six travailleurs algériens... Depuis un mois, ils sont successivement tous arrêtés, battus et libérés au bout de trois ou quatre jours. Certains vont voir un médecin et obtiennent des arrêts de travail variant de dix jours à un mois…

« Hier soir, on a arrêté, à 10 heures du soir il est vrai, l'un de ces employés, chez moi depuis quatre ans, dans l'intérieur d'un bar où il buvait un café avec sa femme […]. Je le reverrai sans doute, comme tous les autres, le visage tuméfié et des marques de coups sur le corps.

« J'ai honte… »

(*Le Monde*, 24 octobre 1961)

Mais l'avertissement le plus grave est venu, le 30 octobre, sous la forme d'un communiqué rédigé en termes identiques et publié à la même heure par les Unions départementales CGT, CFTC, FO de la Seine et par le bureau de l'UNEF :

« Pour protester contre les mesures discriminatoires dont ils sont les victimes, les travailleurs algériens de la région parisienne ont manifesté pacifiquement le 17 octobre.

« Utilisant des méthodes inadmissibles, la répression policière a fait des morts, des centaines de blessés.

« L'Union des syndicats […] tient à faire savoir qu'une répression policière analogue, nouvelle étape de l'installation d'un régime fasciste en France, déclencherait une réaction immédiate de l'ensemble des travailleurs (et des étudiants) de la région parisienne. »

Le 6 novembre, le parquet de la Seine reconnaissait officiellement que soixante cadavres d'Algériens avaient été « recensés » au cours du mois d'octobre :

« Une soixantaine d'informations judiciaires ont été ouvertes par le parquet de la Seine depuis le 1er octobre pour rechercher les causes de la mort de Nord-Africains repêchés dans la Seine ou retrouvés dans les fourrés des bois de la banlieue parisienne. Les dossiers ont été répartis dans les cabinets de sept juges.

« Le procureur de la République a reçu, d'autre part, vingt et une plaintes émanant de familles de musulmans algériens dont elles sont sans nouvelles depuis les manifestations du 17 octobre, ou bien d'Algériens qui déclarent avoir subi des sévices de la part des représentants de la force publique. Quant au doyen des juges d'instruction, il a été saisi de dix-neuf plaintes contre X, déposées avec constitution de partie civile, par des musulmans pour vol, séquestration, coups et blessures, tentatives de meurtre.

« En Seine-et-Oise, le parquet a ouvert également des informations à propos de la découverte de quatre cadavres retirés de la Seine. »

(*Le Monde*, 8 novembre 1961)

Depuis le 8 novembre, bien d'autres plaintes sont parvenues au procureur de la République et au doyen des juges d'instruction.

À leur tour, des médecins parisiens ont tenu à dire ce qu'ils ont pu constater dans l'exercice de leurs fonctions.

Au cours d'une réunion organisée le 5 novembre à la Mutualité, plusieurs médecins ont apporté des précisions terribles sur le nombre des blessés algériens conduits dans les hôpitaux les 17 et 18 octobre, et sur la gravité de leur état.

D'après ces témoignages, deux cent cinquante blessés ont été conduits à l'hôpital Boucicaut, dix-neuf à Saint-Louis, trente à Broussais, cent trois à Corentin-Celton, dix-neuf à l'Hôtel-Dieu, trois à Laennec. Un grand nombre d'entre eux étaient atteints de blessures graves : fracture du crâne, traumatisme crânien, blessures par balles, diverses fractures des côtes et des membres.

D'autre part, vingt-quatre chirurgiens et médecins de l'hôpital Corentin-Celton ont fait parvenir à la presse une lettre dans laquelle ils déclarent :

« Nous portons à votre connaissance les faits suivants qui révoltent nos consciences de médecins et que nous avons dû, malheureusement, constater dans l'exercice de nos fonctions hospitalières.

« Du 17 octobre au 1er novembre, cent trois Nord-Africains ont été conduits à nos consultations, dont soixante-cinq ont dû être hospitalisés pour état grave. Les observations cliniques ont été prises avec le plus grand soin.

« De nos interrogatoires médicaux et de nos dossiers, il ressort indiscutablement que la plupart des blessés reçus n'ont eu aucun soin avant de nous être adressés, souvent tardivement ; il semble, en outre, que la nature de leurs blessures et leur localisation multiple indiquent que beaucoup d'entre elles n'ont pu être réalisées au cours même de la répression immédiate des manifestations.

« Il ne nous appartient pas, ici, de trahir les lois du secret professionnel que nous sommes tenus de respecter.

« Les dossiers médicaux pourront être communiqués sur demande à la commission d'enquête dont M. le Ministre de l'Intérieur a accepté la constitution. »

(*Libération*, 9 novembre 1961)

Enfin, l'indignation a gagné même certains policiers : un groupe de policiers républicains a adressé à la presse un document de près de quatre pages qui dénonce, avec de grandes précisions de date et de lieu, les actes de violence auxquels se sont livrés certains fonctionnaires de police.

Voici ce document :

« Ce qui s'est passé le 17 octobre 1961 et les jours suivants contre les manifestants pacifiques, sur lesquels aucune arme n'a été trouvée, nous fait un devoir d'apporter notre témoignage et d'alerter l'opinion publique. Nous ne pouvons taire plus longtemps notre réprobation devant des actes odieux qui risquent de devenir monnaie courante et de rejaillir sur l'honneur du corps de police tout entier.

« Aujourd'hui, quoique à des degrés différents, la presse fait état de révélations, publie des lettres de lecteurs, demande des explications. La révolte gagne les hommes honnêtes de toutes opinions. Dans nos rangs, ceux-là sont la grande majorité. Certains en arrivent à douter de la valeur de leur uniforme.

« Tous les coupables doivent être punis. Le châtiment doit s'étendre à tous les responsables, ceux qui donnent les ordres, ceux qui feignent de laisser faire, si haut placés soient-ils.

Quelques faits le 17 octobre

« Parmi les milliers d'Algériens emmenés au Parc des Expositions de la porte de Versailles, des dizaines ont été tués à coups de crosse et de manche de pioche, par enfoncement du crâne, éclatement de la rate ou du foie, brisure des membres. Leurs corps furent piétinés sous le regard bienveillant de M. Paris, contrôleur général.

« D'autres eurent les doigts arrachés par les membres du service d'ordre, policiers et gendarmes mobiles, qui s'étaient cyniquement intitulés "comité d'accueil".

« À l'une des extrémités du pont de Neuilly, des groupes de gardiens de la paix, à l'autre des CRS opéraient lentement leur jonction. Tous les Algériens pris dans cet immense piège étaient assommés et précipités systématiquement dans la Seine. Il y en eut une bonne centaine à subir ce traitement. Les corps des victimes commencent à remonter à la surface journellement et portent des traces de coups et de strangulation.

Quelques autres

« À Saint-Denis, les Algériens ramassés au cours de rafles sont systématiquement brutalisés dans les locaux du commissariat. Le bilan d'une nuit récente fut particulièrement meurtrier. Plus de trente malheureux furent jetés, inanimés, dans le canal après avoir été sauvagement battus.

« À Saint-Denis, Aubervilliers et dans quelques arrondissements de Paris, des commandos formés d'agents des brigades spéciales des districts et de gardiens de la paix en civil "travaillent à leur compte", hors service. Ils se répartissent en deux groupes. Pendant que le premier arrête les Algériens, se saisit de leurs papiers et les détruit, le second groupe les interpelle une seconde fois. Comme les Algériens n'ont plus de papiers à présenter, le prétexte est trouvé pour les assommer et les jeter dans le canal, les abandonner blessés, voire morts, dans des terrains vagues, les pendre dans le bois de Vincennes.

« Dans le XVIIIe, des membres des brigades spéciales du troisième district se sont livrés à d'horribles tortures. Des Algériens ont été aspergés d'essence et brûlés par "morceaux". Pendant qu'une partie du corps se consumait, les vandales en arrosaient une autre et l'incendiaient.

« Ces quelques faits, indiscutables, ne sont qu'une faible partie de ce qui s'est passé ces derniers jours, de ce qui se passe encore. Ils sont connus dans la police municipale. Les exactions des harkis, des brigades spéciales des districts, de la brigade des agressions et violences ne sont plus des secrets. Les quelques informations rapportées par les journaux ne sont rien au regard de la vérité.

« Il s'agit d'un implacable processus dans lequel on veut faire sombrer le corps de police. Pour y parvenir, les encouragements n'ont pas manqué. N'est-elle pas significative, la manière dont a été appliqué le décret du 8 juin 1961, qui avait pour objet le dégagement des activistes ultras de la Préfecture de police ? Un tel assainissement était pourtant fort souhaitable. Or, on ne trouva personne qui puisse être concerné par cette mesure ! Pour sauver les apparences, soixante-deux quasi-volontaires furent péniblement sollicités, qui obtiennent chacun trois années de traitement normal et, à l'issue de cette période, une retraite d'ancienneté… Ce n'est là qu'un aspect de la complaisance du préfet. En effet, au cours de plusieurs visites dans les commissariats de Paris et de la banlieue, effectuées depuis le début de ce mois, M. Papon a déclaré : "Réglez vos affaires avec les Algériens vous-mêmes. Quoi qu'il arrive, vous êtes couverts." Dernièrement, il a manifesté sa satisfaction de l'activité très particulière des brigades spéciales de district et s'est proposé de doubler leurs effectifs. Quant à M. Soreau, il a déclaré, de son côté, pour vaincre les scrupules de certains policiers :

"Vous n'avez pas besoin de compliquer les choses. Sachez que même s'ils [les Algériens] n'en portent pas sur eux, vous *devez* penser qu'ils ont toujours des armes..."

« Nous ne pouvons croire que cela se produise sous la seule autorité de M. le Préfet. Le ministre de l'Intérieur, le chef de l'État lui-même ne peuvent ignorer ces faits, au moins dans leur ampleur. Sans doute M. le Préfet a-t-il évoqué devant le conseil municipal les informations judiciaires en cours. De même le ministre de l'Intérieur a parlé d'une commission d'enquête. Ces procédures doivent être rapidement engagées. Il reste que le fond de la question demeure : comment a-t-on pu ainsi pervertir non pas quelques isolés, mais, malheureusement, un nombre important de policiers, plus spécialement parmi les jeunes ? Comment en est-on arrivé là ?

« Cette déchéance est-elle l'objectif de certains responsables ? Veulent-ils transformer la police en instrument docile, capable, demain, d'être le fer de lance d'une agression contre les libertés, contre les institutions républicaines ?

« Nous lançons un solennel appel à l'opinion publique. Son opposition grandissante à des pratiques criminelles aidera l'ensemble du corps de police à isoler, puis à rejeter ses éléments gangrenés. Nous avons trop souffert de la conduite de certains des nôtres pendant l'occupation allemande. Nous le disons avec amertume mais sans honte puisque, dans sa masse, la police a gardé une attitude conforme aux intérêts de la nation. Nos morts, durant les glorieux combats de la libération de Paris, en portent témoignage.

« Nous demandons le retour aux méthodes légales. C'est le moyen d'assurer la sécurité des policiers parisiens qui reste notre préoccupation. Il en est parmi nous qui pensent, à juste titre, que la meilleure façon d'aboutir à cette sécurité, de la garantir véritablement, réside en la fin de la guerre d'Algérie. Nous sommes, en dépit de nos divergences, le plus grand nombre à partager cette opinion. Cependant, nous le disons nettement : le rôle qu'on veut nous faire jouer n'est nullement propice à créer les conditions d'un tel dénouement, au contraire. Il ne peut assurer, sans tache, la coopération souhaitable entre notre pays et l'Algérie de demain.

« Nous ne signons pas ce texte et nous le regrettons sincèrement. Nous constatons, non sans tristesse, que les circonstances actuelles ne le permettent pas. Nous espérons pourtant être compris et pouvoir révéler nos signatures sans que cela soit une sorte d'héroïsme inutile.

« Nous adressons cette lettre à M. le Président de la République, à MM. les Membres du gouvernement, députés, maires, sénateurs, conseillers généraux du département, aux personnalités religieuses, aux représentants de la presse, du monde syndical, littéraire et artistique.

« De nombreuses manifestations de protestation contre le racisme et de solidarité avec les Algériens devraient se déclencher, et notamment celle du PSU, place Clichy, le 1er novembre.

Paris, le 31 octobre 1961. »

6

Des victimes portent plainte

Disparitions, assassinats, tortures, les plaintes s'empilent maintenant sur le bureau des avocats. Sortant de l'ombre, sans crainte des représailles dont les policiers les menacent, des Algériens accusent leurs tortionnaires.

Voici quelques-unes des innombrables plaintes officiellement déposées par des Algériens victimes des brutalités poli cières, des photos et des certificats médicaux confirmant les déclarations des plaignants.

Iddir Chebbah, l'un des « rescapés » de la Seine, a porté plainte en tentative d'assassinat contre la police, avec constitution de partie civile :

« Le 10 septembre, vers 21 heures, alors que je rentrais chez moi, je fus arrêté par un car de police secours. Les cinq policiers qui étaient dans le car ne me demandèrent rien, mais me firent monter dans le car. Là, ils me fouillèrent mais ne trouvèrent rien. Les policiers firent une ronde à Nanterre et à La Garenne. Ils me disaient: "N'aie pas peur, on ne te fera rien, on va t'emmener au commissariat." Vers minuit, alors que nous étions partis vers Colombes, les policiers firent monter dans le car un de mes compatriotes qui circulait à pied. Il avait peut-être vingt-huit ans, arabe, costaud, aux cheveux foncés et lisses. Il portait un costume gris. On lui dit aussi qu'il n'avait rien à craindre.

« Puis le car prit la direction de la Seine. On s'arrêta près du pont d'Argenteuil, à la Petite-Seine.

« Les policiers firent d'abord descendre mon compatriote. Je voyais à travers la vitre du car. Ils lui donnèrent des coups de crosse jusqu'à ce qu'il soit assommé. Puis le chauffeur le prit par les pieds et un autre par la tête. Ils le jetèrent dans l'eau. Peu après, je vis des petites bulles apparaître à la surface de l'eau. Mon frère était mort.

« Ce fut ensuite mon tour. On me fit descendre, puis un policier me dit: "Combien paies-tu au FLN?" Je dis: "Trois mille cinq cents francs, comme tout le monde." À ces mots, je reçus un terrible coup de crosse derrière l'oreille droite. Les policiers s'acharnèrent ensuite sur moi jusqu'à ce que je tombe par terre. Je sus alors que j'allais mourir noyé. On me prit par les pieds et les mains et l'on me lança. Je tombai sur une pierre et rebondis dans l'eau.

« Mais l'eau froide me rendit quelques forces et j'essayai de nager. J'avais une veste en velours, c'était trop lourd. Les policiers m'entendirent et allumèrent leurs phares pour me chercher. Quand ils me virent, ils se mirent tous à me lancer des pierres.

« Je suis revenu vers la rive, apercevant un creux, où je me suis caché. J'avais le corps dans l'eau et avais pu arracher un peu d'herbe pour mettre sur la tête. Les policiers me cherchaient toujours avec leurs phares ou avec des lampes électriques. Comme ils ne me voyaient pas, ils jetaient des pierres au hasard. Je suis resté ainsi un temps, qui m'a paru infini, au moins une heure et demie. Puis j'ai senti que j'allais couler et qu'il fallait que je tente d'arriver à l'autre rive, même si les policiers, qui attendaient toujours, me tuaient pendant ce temps.

« J'ai enlevé ma veste, dans laquelle il y avait tous mes papiers et toutes mes économies, et l'ai laissé couler au fond de l'eau et j'ai nagé jusqu'à l'autre rive. J'étais plein de sang car des pierres m'avaient atteint et je n'entendais plus que d'une oreille mais, au milieu, il m'a semblé entendre siffler une balle.

« Avec beaucoup de difficultés, je suis sorti sur l'autre rive. Je marchais en titubant comme si j'étais saoul. Il y avait un grand pré avec des baraques. J'ai frappé à une porte. Il était environ 3 heures du matin. Un vieux Français a ouvert la porte. Il m'a dit: "Que t'est-il arrivé, mon fils?" Je lui ai expliqué que c'était la police. Il m'a fait rentrer et m'a soigné. J'ai couché là et suis resté jusqu'au lendemain midi. L'homme m'a accompagné jusqu'à l'autobus et je suis rentré chez moi.

« J'ai dormi jusqu'au lendemain matin, 12 septembre, à 8 heures. Puis j'ai été au dispensaire de Nanterre et ai raconté ce qui m'était arrivé. Lorsque j'ai dit que c'était la police qui avait essayé de me tuer, l'on m'a répondu: "C'est dommage, il n'y a pas de médecin ici, en ce moment. Il faut que tu te fasses soigner ailleurs."

« J'ai été voir un docteur près de chez moi. Il m'a soigné et m'a demandé si je voulais aller à l'hôpital. J'ai dit non, alors il m'a donné une ordonnance. Mais, en rentrant chez moi, je ne me sentais pas bien. Alors j'ai été chez les Sœurs blanches. L'infirmière m'a coupé les cheveux et mis un pansement. Puis elle a téléphoné au commissariat. Les policiers sont venus me chercher et j'ai raconté à un brigadier ce qui était arrivé. Je crois qu'il a pris ma déclaration mais j'étais encore dans un état tel que je n'en suis pas certain. Ensuite, les policiers m'ont emmené à l'hôpital départemental. J'ai été vu par un médecin, qui m'a soigné. Au moment de partir, l'on m'a dit que l'on ne me faisait pas payer parce que c'était la police qui m'avait frappé. L'on voulait me plâtrer le bras droit. Mais je ne suis pas retourné à l'hôpital. Je suis resté longtemps malade et ai encore mal maintenant.

« Je n'essaye pas de sortir de chez moi, n'ayant aucun papier. Le 13, j'ai été voir le capitaine de la SAS de Nanterre, pour réclamer des papiers. J'ai raconté ce qui m'était arrivé. Il a ri et a dit: "Alors, tu sais bien nager!" puis il m'a emmené chez le commandant. Celui-ci a ri aussi et a voulu m'interroger sur mon identité. Il m'a posé des questions pendant longtemps. Ensuite, il m'a dit: "Il faut attendre."

« J'ai attendu trois heures. Tout le monde était parti. J'ai eu peur et ai réussi à m'enfuir par la porte de l'hôpital.

« J'ai vingt ans et suis en France depuis un an. Je suis depuis lors à Nanterre et travaillais à la SNCF. J'ai été arrêté et fouillé souvent, toujours pour l'unique raison que je suis algérien.

Maintenant, je n'ose pas me présenter à un commissariat pour demander des papiers. »

Libération, L'Humanité, Le Monde, Paris-Presse, France-Soir ont également fait état de la plainte de Chebah Idir contre le préfet de police, M. Maurice Papon, situant ainsi les vraies responsabilités des ratonnades de Paris :

« La loi punit comme complice toute personne qui, par abus d'autorité ou de pouvoir, provoque une action criminelle ou donne des instructions pour la commettre.

« L'impunité dont jouissent les harkis et les policiers français qui torturent, chaque jour, de nombreux Algériens, depuis des années, montre que ceux-ci sont couverts par le préfet. M. Papon en a fait l'aveu lorsqu'il déclarait, le 2 octobre : "Notre résolution est inébranlable de juguler le terrorisme. Pour un coup reçu, nous en porterons dix."

« C'est pour ces raisons que je me constitue partie civile contre le préfet de police. Je vous demande de fixer rapidement la consignation. »

★

Le 25 octobre, M. Khannous Abdelkader a adressé au doyen des juges la plainte suivante :

« Le 4 octobre 1961, je revenais de mon travail et rentrais chez moi par le boulevard de la Chapelle lorsque je fus arrêté près du métro Barbès par des policiers français faisant une rafle. Ils me firent monter dans un car de police ; à peine étais-je rentré qu'un policier me frappa au visage avec sa matraque. Mon œil droit fut atteint et le sang se mit à couler sur mon visage car, en me donnant ce coup, il avait cassé les verres de mes lunettes. Comme j'étais en sang, je vis difficilement que les policiers firent monter dans le car cinq de mes compatriotes. Là, le policier à la matraque continua à nous frapper. C'est un brigadier, gros, costaud, âgé de 40 ans environ, ayant l'accent des Français d'Algérie et connaissant quelques mots d'arabe. Les policiers nous emmenèrent au poste du boulevard de la Chapelle. Là, ils firent aligner mes compatriotes et leur dirent de regarder. Un des policiers donna l'ordre de me déshabiller jusqu'à la ceinture. Ils se mirent à me frapper sur tout le corps avec des barres de fer en hurlant "Qu'est-ce que vous foutez là, dans notre pays ? Si vous restez là, on vous tuera tous !"

« Le sang coulait de ma tête et je tombai à terre, en m'évanouissant à plusieurs reprises. Les policiers me ranimèrent en me jetant de l'eau à la figure. Cela dura pendant une demi-heure environ, puis l'un des policiers dit : "Étant donné l'état où il est, il ne faut pas l'emmener à Vincennes. On va le jeter dans la rue, il peut mourir."

« Ils m'emmenèrent au car et me firent descendre quelque part où il y a des arbres, à côté d'un pont de train.

« Ils m'avaient volé, avant, mon argent, soit une somme de trois mille cinq cents anciens francs.

« En sortant des arbres, j'arrivai à une place et vis, à droite, une boucherie. Je demandai à la bouchère où j'étais ; elle me répondit que j'étais à Aubervilliers et m'indiqua un autobus me permettant d'aller à Clignancourt. Puis elle me dit : "Pourquoi as-tu du sang dans les yeux ?" Je répondis : "Ce sont les flics qui m'ont arrêté." Elle me dit : "Va donc à l'hôpital pour voir le médecin." Je partis à pied vers Paris et vis un Algérien qui travaillait comme terrassier. Voyant mon état, il me demanda ce qui m'était arrivé. Je le lui racontai. Il me donna trois cent cinquante anciens francs et je pris un taxi jusqu'à Clignancourt.

« En arrivant à Clignancourt, j'entrai dans un café algérien où étaient attablés des civils français qui me demandèrent ce qui m'était arrivé. Je le leur racontai. Ils me conseillèrent d'aller au commissariat me plaindre. Je ne suivis pas ce conseil, sachant que je serais frappé à nouveau, et rentrai chez moi. Comme j'avais mal partout, j'allai à l'hôpital Lariboisière, vers 14 h 30. Je fus immédiatement hospitalisé, en section chirurgie.

« C'est pour ces raisons que je porte plainte contre la police en vol, coups et blessures volontaires et menaces de mort. »

★

Le 16 octobre, M. Guessoum Brahim, en traitement à Lariboisière, écrit au doyen des juges :

« Le samedi 4 octobre, alors que je sortais du restaurant, à 13 heures, je vis, à la hauteur du 24, rue de la Charbonnière, des policiers français. Un policier me dit : "D'où tu viens, comme ça ?" Je répondis : "Je viens du restaurant." "Tu es bien habillé, montre tes papiers." Je montrai mes papiers et mes fiches de paye. Il me dit : "Viens avec nous" et m'emmena au poste de police du boulevard de la Chapelle.

« En rentrant, je vis un Algérien, tout couvert de bleus qui gisait à terre. L'un des policiers me dit : "Cotises-tu ?" Je répondis : "Je paye, comme tous les Algériens." L'un d'entre eux me dit : "À qui payes-tu ?" Et il me donna un coup de pied dans le bas du ventre. Un autre me dit : "Où travailles-tu ?" Je répondis : "À Boulogne." À ces mots, ils se jetèrent à dix sur moi et me frappèrent à coups de pied et de poing sur tout le corps. Je tombai à terre, en me protégeant la figure. Ils me frappèrent aussi dans les côtes, dans l'estomac et dans le dos pendant une heure, bien que je leur dise que j'avais fait la guerre pour les Français et que je suis mutilé de guerre. Ils continuèrent jusqu'à ce qu'un policier, qui était plus âgé, leur dise : "Arrêtez ! Il est mutilé de guerre et il est déjà malade." Ils me relâchèrent vers 14h30 et je rentrai chez moi en me traînant.

« En arrivant, la patronne de l'hôtel, Mme Akkaz, et un garçon de café, M. Chemitrine, virent mon état et me dirent d'aller me coucher immédiatement. Je délirai tout le samedi après-midi et la nuit du samedi au dimanche. Dimanche, voyant mon état, on vint me chercher en ambulance et on m'hospitalisa en salle de chirurgie, à l'hôpital Lariboisière. J'ai particulièrement mal aux parties sexuelles et dans les côtes.

« Je porte plainte contre la police, en coups et blessures volontaires et menaces de mort. Je me constitue partie civile sur cette plainte. »

★

M. Bououden Moktar a porté plainte le 30 octobre :

« J'ai été arrêté le mardi 17 octobre, vers 20h30, au métro Opéra. Des policiers se sont précipités sur moi, me faisant lever les mains, donnant des coups dans les côtes tout en me disant: "Tu es le bienvenu!" De là, ils m'ont emmené, avec une centaine d'autres Algériens, dans la bouche d'un métro aménagée pour notre arrestation. Des policiers nous frappaient avec leurs matraques et plaisantaient entre eux en disant: "Ça grouille, les ratons, aujourd'hui." Puis nous fûmes emmenés sur la place où nous dûmes rester debout sous la pluie, les mains en l'air, pendant plus d'une heure. Les policiers nous frappaient avec des barres de fer et des matraques pendant que les passants contemplaient le spectacle. Ensuite, les policiers nous emmenèrent, en file indienne, tout ruisselants de sang, au poste de police où nous fûmes frappés à nouveau.

« J'ai du mal à me souvenir du déroulement exact des événements, car j'étais complètement assommé, mais je me souviens qu'après que l'on nous eut posé des questions, je fus entassé dans une cage faite pour environ dix personnes. Nous étions cent vingt. Le chauffage était ouvert à fond, afin que nous ne puissions pas supporter la chaleur. Nous avons réclamé de l'eau; au lieu de cela, nous avons encore reçu des coups de poing. Puis les policiers nous firent descendre dans la cave jusqu'à 4 heures du matin. Ils continuèrent à nous frapper et à nous insulter grossièrement en nous traitant de sale race, ratons et bicots. Un des policiers, grand, au teint basané, s'émerveillait de notre résistance.

« Il racontait aux autres qu'il avait vu un raton marcher seize kilomètres avec trois balles dans le coffre avant que l'on puisse le rattraper pour l'achever. Plusieurs de mes camarades peuvent en témoigner.

« Nous fûmes entassés à cinquante-trois dans un car de police. Les blessés gémissaient, mais nous fûmes contraints de crier "Vive la police!" Comme nous ne le faisions pas, les policiers s'acharnèrent à nouveau sur nous.

« À Vincennes, à la descente du car, les policiers nous brutalisèrent encore. Ils nous enlevaient notre argent, nos montres et même les tickets de métro et d'autobus, qui ne nous furent jamais rendus.

« Nous sommes restés trois jours dans un hangar sale et désaffecté. Le hangar avait environ dix à douze mètres de large et soixante mètres de long. Nous étions plusieurs milliers à être entassés là. Nous sommes restés trois jours sans dormir et sans manger. Le quatrième, on nous a servi un morceau de pain et un très petit bout de viande. Du café nous fut distribué aussi, mais je n'en ai pas eu, car un brigadier m'a dit “que ma tête ne lui revenait pas”.

« Après de nombreuses formalités et de nouvelles insultes, je fus relâché le 20 octobre, vers 14 heures. On me dit : “Va directement chez toi, ou ça ira mal !”

« J'ai encore des cicatrices dans le dos et dans les côtes, ainsi qu'aux bras. J'ai fait constater ces traces par le docteur Guillemin. J'ajoute que mon patron m'a débauché parce que j'avais été à Vincennes, me laissant ainsi malade et sans ressources.

« Je porte plainte en coups et blessures volontaires contre la police. »

Plainte déposée par M. Khediri Ahmed el Kebir :

« Mardi 17 octobre, j'étais, à 15 heures, au Ciné-Bar, à côté du métro Barbès, lorsque les policiers arrivèrent. Un policier me demanda mes papiers et me fouilla, bien que mes papiers fussent en règle. Il me dit : “Viens avec nous pour une vérification de papiers” et me fit monter gentiment dans le car. Une fois dans le poste, on me demanda mes papiers. Les policiers virent que j'étais malade et que j'étais commerçant de tapis, vendant dans les foires et marchés. Lorsqu'ils apprirent que j'étais marié avec une Française et que j'avais un enfant, les policiers qui étaient dans le car devinrent furieux. Un me dit : “Suis-moi.” Il m'emmena dans une salle où j'étais seul avec lui et tenta de m'étrangler avec ma cravate. Pris de rage, il se jeta sur moi pour m'assommer à coups de poing et de pied, particulièrement dans le bas du ventre. Comme je ne tombais pas, il prit au planton sa mitraillette en disant : "Il ne veut pas tomber, ce salaud, je vais lui faire la peau." Il me donna un grand coup de crosse de mitraillette dans les reins. L'autre policier lui dit à ce moment. "Ne fais pas cela avec ma seringue, rends-la-moi." Et il tenta de la lui arracher. Malgré cela, le policier me donna deux autres coups dans les reins. Je me sentais comme si j'étais coupé en deux, ne pouvant ni parler, ni bouger. Le brigadier arriva et me dit : "Lève-toi, ça suffit comme cela." Mais je ne pouvais que me traîner. Le policier dit : "Je connais cela, ce ne sont que des comédies" et, comme je revenais dans la première salle, il me donna deux coups de pied dans les reins, à nouveau. Je hurlai. Le brigadier dit : "Allez, ça suffit comme cela." Le policier répondit : "Je m'arrêterai si je le veux" et il se retourna vers moi et me donna un coup de pied dans le bas-ventre.

« J'étais presque mort. Ils m'entraînèrent dans la cage et me laissèrent choir à terre. Le policier me dit : "Debout, face au mur", je me traînai et tentai de me lever, le policier me dit : "Regardez-moi comment il est fringué, ce mec-là, moi je ne peux pas me payer un costume comme lui." Un autre policier lui répondit : "Tu as vu sur ses papiers que c'est un commerçant, c'est qu'il peut se payer un costume." Alors éclata une discussion entre eux, où il était question de tuer tous les Algériens et de les jeter dans la Seine ; mais l'ennuyeux, disaient-ils, c'est encore qu'il faut les y transporter.

« Le brigadier, qui avait été gentil, me fit sortir du poste vers 16h30. Le policier qui m'avait frappé était de service devant la barricade de guet. Lorsque je passai, il me donna un coup de crosse dans les reins.

« Les policiers nous firent monter tous à genoux dans le car et l'on nous emmena au commissariat des Grandes-Carrières. Des policiers en civil et des motards à moitié ivres tapaient sur tout le monde à coups de pied, de poing, particulièrement au ventre, sur des jeunes, des vieux. Tout le monde essayait de se faire tout petit et criait.

« Vers 9 heures du soir, on nous emmena à l'Opéra puis, ensuite, à Vincennes, où l'on nous fit rentrer entre une haie de gardes mobiles et de policiers qui nous frappaient à coups de crosse et de gourdin. Dix d'entre nous tombèrent à terre, pleins de sang. On marchait dessus. Les gardes mobiles dirent aux policiers: "Ce n'est pas notre travail de balayer le sang." Les policiers alors prirent des seaux d'eau pour nettoyer. Je restai à terre, sur le ciment. On me relâcha le mercredi matin. Je rentrai chez moi tout couvert de sang.

« C'est pour ces raisons que je porte plainte entre vos mains pour coups et blessures volontaires et séquestration arbitraire. Je me constitue partie civile sur cette plainte. »

Après avoir examiné M. Khediri, le 23 octobre, le Dr Marcel Arène a noté : « Il présente des contusions avec une vive douleur de la hanche droite et de la région lombo-rénale droite. Vingt et un jours d'incapacité de travail. »

Arrêté le 17 octobre, M. Mehaffet Djaballah a, lui aussi, porté plainte :

« Mardi 17 octobre au soir, j'ai été arrêté au métro Stalingrad par des policiers français. Ceux-ci, après m'avoir donné l'ordre de mettre les mains sur la tête, se jetèrent sur moi et me frappèrent à coups de matraque et à coups de pied avant de me faire rentrer dans la voiture de police où je trouvai dix à quinze compatriotes qui étaient, comme moi, martelés de coups.

« Vers minuit, on nous emmena à la porte de Versailles. Là, on nous dit de descendre et d'entrer, trois par trois, dans le Palais des Sports, au milieu d'une haie d'agents de police. On nous fit rentrer à coups de pied et de matraque et à coups de crosse de mitraillette. Je reçus un coup de crosse de mitraillette dans l'estomac. Nous devions toujours garder les mains en l'air. Je retrouvai dans ce hangar trois mille Algériens environ. Nous pouvions tout juste nous asseoir. Il y avait des garçons de quatorze, quinze et dix-sept ans et des Algériens très âgés. Tout le monde avait été frappé. Je suis resté deux jours et on ne nous servit, pendant ces deux jours, que deux casse-croûte comprenant du café, un morceau de pain et un morceau de chocolat. Comme nous parlions tous des coups que nous avions reçus, j'entendis un Algérien qui disait qu'au métro Châtelet un gardien de police, en faisant descendre les Algériens du car pour les emmener au commissariat de la Préfecture, avait frappé si fort un compatriote à la tête que celui-ci était tombé mort, sa cervelle à ses pieds. D'autres disaient qu'au métro Opéra la police avait tué quatre ou cinq Algériens ; nous avions tous des pansements sur la tête. Jeudi soir, on nous changea de hangar. On nous emmena dans un hall où il faisait très froid. Par terre, il y avait du sable. Nous n'avions pas de chaises et nous accroupissions sur le sable pour essayer de nous réchauffer.

« Samedi, à 14 h 25, les policiers me remirent un laissez-passer provisoire sur lequel il était indiqué que j'étais autorisé à regagner mon domicile, mais cette autorisation n'était valable que pour le 21 octobre.

« C'est pour ces raisons que je porte plainte entre vos mains pour coups et blessures volontaires et séquestration arbitraire. »

Plainte déposée le 1er novembre par M. Ramdane Berkani :

« J'ai l'honneur de porter plainte entre vos mains en coups et blessures volontaires, contre la police.

« Le 18 septembre, vers 19 heures, je revenais de la Sécurité sociale et me trouvais vers le pont de Rouen, à Nanterre, lorsqu'un car de police s'arrêta. Les policiers me demandèrent mes papiers et me firent monter dans le car. Les policiers firent un tour dans Nanterre et, vers 8 heures, s'arrêtèrent auprès de la Seine et me firent descendre. Il y avait quatre policiers et un chauffeur. Deux des policiers me rouèrent de coups jusqu'à ce que je sois à moitié assommé, puis me prirent par les pieds et les mains pour me jeter dans l'eau. Mais le chauffeur protesta et dit que s'ils me tuaient il irait protester au commissariat. Les policiers étaient furieux. Ils me donnèrent à nouveau des coups de pied et des coups de poing et me laissèrent dans l'herbe. Je mis longtemps à me remettre de ces coups, car je suis tuberculeux et souvent malade.

« Le mercredi 18 octobre, vers 20h20, j'étais au pont de Neuilly, avec beaucoup de mes compatriotes. Les policiers ont tiré sur nous. Nous nous sommes tous sauvés, mais je me suis perdu, ne connaissant pas le chemin. Un peu plus loin, au bord de la Seine, j'ai été arrêté par des policiers qui m'ont demandé mes papiers. Ils m'ont donné des coups de crosse sur la tête et sur les épaules ainsi que sur tout le corps. Je suis tombé, assommé, et porte, jusqu'à ce jour, des traces de ces coups. Je me suis assis sur le trottoir et ai fait signe à une 4 CV. L'homme s'est arrêté mais a refusé de m'emmener à l'hôpital, bien que je lui aie proposé de le payer. J'ai arrêté ensuite un taxi. Le chauffeur a refusé de me prendre parce que j'étais plein de sang et qu'il craignait de tacher sa voiture. Je suis resté sur le trottoir jusqu'à 11 heures du soir, lorsqu'un Algérien et un Espagnol sont passés.

« Ils ont appelé une ambulance, en disant que j'avais été frappé par la police, mais elle n'est pas venue. Alors ces deux hommes m'ont aidé à aller jusqu'à l'hôpital communal de Puteaux, où je suis resté cinq jours. Je joins un certificat médical.

« Je suis en France depuis 1950. Aucun juge ne m'a jamais convoqué, mais j'ai été arrêté et détenu à Vincennes, sans aucune raison, une quinzaine de jours, dans les deux dernières années. »

Plainte déposée, le 30 octobre 1961, par M. Moussa Oudina :

« Mardi 17 octobre, à 10 heures du matin, alors que je sortais de chez moi pour me rendre à mon travail, quatre policiers et un brigadier me donnèrent l'ordre de mettre les mains en l'air. Ils m'appuyèrent le canon de leur mitraillette dans le dos et me fouillèrent. En route pour le poste de police, ils arrêtèrent trois Algériens, dont l'un s'appelait Ferrat, 32, rue de Chartres. Les deux autres, je les connaissais de vue: l'un habitait dans la même maison que Ferrat, l'autre est le frère d'un de mes amis.

« Ils nous emmenèrent au poste de la vigie. Là, ils nous firent rentrer à coups de crosse de mitraillette, à coups de pied et de poing. Dans la salle, il y avait déjà six ou sept Algériens qui gémissaient et qui étaient tout couverts de bleus. Un des policiers me dit: “Tiens, tu as une belle montre”, et d'un coup de manchette il me frappa dessus, il prit la montre et la jeta dehors. Un policier me prit par les pieds et un autre par les mains. Ils me jetèrent en l'air, puis me laissèrent tomber à terre. Ils firent cela plusieurs fois, puis se jetèrent sur moi alors que j'étais à terre et me frappèrent à coups de pied sur tout le corps et dans les côtes. J'étais complètement “groggy”. J'entendis un policier dire à l'un d'entre nous: “As-tu une cigarette?” Un compatriote lui en donna une. Le policier lui dit: “Eh bien, mange-la.” Il lui fit manger deux ou trois cigarettes et nous obligea à boire de l'eau additionnée d'eau de Javel qu'on nous apportait dans des boîtes de conserve. On nous fit boire jusqu'à ce que nous vomissions.

« Je fus torturé ainsi pendant 1 h 30 environ. Ensuite, je fus relâché ainsi que trois compatriotes parce que nous étions les moins torturés. Je crois qu'ils emmenèrent les autres au commissariat des Grandes-Carrières. Quant à moi, je suis rentré chez moi me coucher en attendant de pouvoir me rendre chez un médecin.

« C'est pour ces raisons que je porte plainte pour coups et blessures volontaires, séquestration arbitraire et vol. »

Des Algériens arrêtés après la manifestation du 17 octobre, d'autres « pris dans des rafles » de « routine » ont disparu. Malgré de multiples démarches, leurs familles n'ont pas pu obtenir de leurs nouvelles – ni savoir s'ils étaient vivants ou morts. Des femmes algériennes, des Européennes mariées à des Algériens, des pères, des frères ont porté plainte en disparition.

Certains « disparus » sont retrouvés à la morgue. Ainsi de M. Amar Mallek, arrêté le 17 octobre 1961 et torturé à mort. Le frère de la victime, M. Saïd Mallek, a porté plainte en homicide volontaire contre les policiers. Voici sa lettre au procureur de la République :

« Mon frère, Mallek Amar, âgé de trente-cinq ans, demeurant 199, rue Alfred-Dequéant, à Nanterre (Seine), a été arrêté le 17 octobre 1961, dans la soirée, près de la porte Champerret. Je suis disposé à vous donner le nom de plusieurs témoins prêts à témoigner que mon frère a été poussé dans un car de police.

« Le samedi 21 octobre 1961, mon autre frère a reçu une convocation de l'hôpital Broussais lui indiquant que notre frère Amar était décédé. Il se rendit à l'hôpital le soir même ; on refusa de lui laisser voir le corps.

« Dimanche 22, je me suis rendu, en compagnie de mon frère et de sa femme, à l'hôpital.

« Le corps de mon frère était bleu, tout couvert d'ecchymoses, du sang avait coulé de son nez et de sa bouche et était coagulé. Il avait la tête ouverte, deux balles dans le flanc, un pansement sur les parties sexuelles et des traces de liens aux chevilles et aux poignets.

« Mon frère s'est adressé au commissariat. À la troisième visite, le commissaire de police lui dit : "Il a fait l'âne, il a voulu s'évader." J'ai appris, par un compatriote de Nanterre arrêté en même temps que mon frère Amar, que celui-ci avait été descendu dans une cave et battu à mort par les policiers. Ce compatriote a vu sortir le corps de mon frère de la cave ; le corps était dans un tel état que ce compatriote ne put l'identifier que par ses chaussures.

« J'ai demandé à emmener le corps de mon frère en Algérie. La Préfecture de police ne m'a pas encore délivré l'autorisation.

« Je porte plainte contre les policiers en homicide volontaire. »

★

M. Saïd Mallek a également averti M. Patin, président de la Commission de sauvegarde :

« Monsieur le Président,

« Je dépose plainte entre vos mains en assassinat contre les policiers qui ont tué mon frère.

« Mon frère a été arrêté le 17 octobre 1961. Son corps est actuellement à l'Institut médico-légal. Les traces de coups sont évidentes. Mon frère a été battu à mort.

« Je vous joins deux certificats médicaux attestant son état.

« J'ai demandé à mes avocats de porter plainte entre les mains du procureur de la République. Celui-ci leur a répondu qu'il était incompétent et qu'une information était ouverte par la justice militaire. J'ai tout de suite compris que c'était, de la part de la justice militaire, une manœuvre pour étouffer l'affaire comme l'affaire Audin, puisque, dans ces conditions, je n'ai pas accès au dossier.

« Je vous demande donc de vous rendre personnellement avec moi à l'Institut médico-légal, accompagné de deux experts, afin que vous constatiez vous-même cet assassinat.

« Ne me répondez pas qu'une information est ouverte et que cela suffit. La loi vous autorise à faire tout acte d'information nécessaire et à vous faire communiquer tout dossier judiciaire. »

À notre connaissance, M. Patin n'a pas jugé nécessaire de se déplacer.

Postface

Les mensonges grossiers de M. Papon*

par François Maspero

Dans les comptes rendus du récent procès en diffamation intenté par Maurice Papon à Jean-Luc Einaudi, j'ai relevé plusieurs déclarations du plaignant qui m'apparaissent comme autant de mensonges grossiers, à la lumière de mon expérience.

En 1961, j'étais libraire-éditeur, au 40, rue Saint-Séverin, Paris v^e^. Dans les jours qui ont précédé le 17 octobre 1961, j'ai été informé par un auteur de mes éditions, Georges-Mathieu Mattei, que la Fédération de France du FLN préparait une manifestation pacifique dans les rues de Paris : la population algérienne montrerait son refus du couvre-feu qui lui était imposé. Il m'a demandé de me déplacer, le moment venu, en moto pour me livrer à une estimation de l'importance de la manifestation sur différents points de rassemblement.

Vers 18 heures, le 17 octobre, je me suis donc trouvé successivement place de l'Étoile, place de l'Opéra, sur le boulevard Bonne-Nouvelle et sur le boulevard Saint-Michel.

Place de l'Étoile, à cette heure de grande affluence, la sortie de métro était encadrée par d'importantes forces de l'ordre casquées et munies de ce que l'on appelait alors des « bidules » : de lourds bâtons de la taille d'une canne. Dès l'escalier, les nombreux Algériens qui sortaient étaient systématiquement séparés des autres personnes, roués de coups et entassés dans les cars

---

* Ce texte a été précédemment publié dans *Le Monde* du 24 février 1999 (il est ici complété par des extraits de l'article paru dans le n° 2 de la revue *Partisans* en décembre 1961).

proches. Le seul critère de discrimination était l'aspect physique.

Mêmes scènes aux autres lieux. À aucun moment je n'ai vu de gestes agressifs de la part des Algériens, qui, pris dans une souricière et matraqués dès leur sortie du métro, n'avaient pas eu le temps de manifester. Ils ne portaient rien. Tout concordait avec le terme de « manifestation pacifique » qui m'avait été indiqué.

Revenant à ma librairie, j'ai trouvé le quartier en état de siège. Je suis ressorti sur le boulevard Saint-Michel en compagnie de mon ami Jean-Philippe Bernigaud, qui venait de terminer son service en Algérie avec le grade de lieutenant et la croix de la Valeur militaire. Nous avons vu se former, sur le trottoir, un cortège d'une centaine de personnes. Nous en avons reconnu plusieurs, l'îlot Saint-Séverin ayant à l'époque un certain nombre d'habitants algériens. Se trouvait là, par exemple, le personnel du restaurant *Al Djezaïr* de la rue de la Huchette.

Nous nous sommes mêlés à ce cortège. Il n'a pas parcouru 100 mètres. Il y a eu quelques cris accompagnés par des claquements de mains nues. Là encore, le mot « pacifique » s'impose. Les forces de l'ordre sont intervenues. Les coups de bidules étaient portés à la tête, puis la victime à terre, entourée de plusieurs hommes, continuait d'être frappée. Les hommes qui frappaient n'étaient pas seulement munis des bidules de dotation, mais d'armes hétéroclites, matraques en caoutchouc ou cravaches. Il n'y a pas eu de résistance. Le plus impressionnant était le bruit sourd des coups sur les crânes. Cela figure dans la lettre que moi-même et d'autres témoins avons adressée la nuit même au *Monde*, qui en a publié un bref extrait le lendemain.

À ce moment-là, nous étions pratiquement les seuls, Jean-Philippe Bernigaud et moi, à être restés debout. Mon ami a crié très fort: « Assassins! » Il a été entouré et bousculé. Mais un gradé est intervenu immédiatement. J'ai entendu: « Pas les Blancs! », mon ami a entendu: « Pas ceux-là! », mais tous deux avons entendu clairement : « Ce sont les ordres. » Et il n'a pas reçu de coups, seulement des injures telles que « Pédé ! ».

Peu après, avec plusieurs autres personnes de type « européen » comme nous, nous avons pu porter une dizaine de blessés dans la pharmacie Glomaud, où ils ont été étendus par terre. Il y avait beaucoup de sang. Des victimes étaient inanimées. Ayant tenté de se protéger la tête de leurs mains nues, beaucoup avaient, entre autres, les mains brisées. Je ne sais combien de temps nous avons dû attendre là. Les forces de l'ordre bloquaient l'accès des ambulances. Nous avons pu, bien plus tard, trouver des voitures et des conducteurs pour acheminer les blessés.

Dans plusieurs des lieux où je me suis trouvé, j'ai vu la haute silhouette d'Élie Kagan en train de photographier au flash. Dans les jours qui ont suivi, nous avons réuni des dizaines de témoignages pour constituer un dossier, rédigé par Paulette Péju, sous le titre *Ratonnades à Paris*, avec six photos d'Élie Kagan. Les feuilles du livre ont été saisies chez le brocheur. Il n'a donc pu être effectué de dépôt légal dans les formes et il n'y a eu aucune poursuite : officiellement, c'était comme si ce livre, pourtant publié selon les dispositions de la loi sur la presse et l'édition, n'avait jamais existé. Le même procédé avait déjà été utilisé pour un dossier du même auteur, *Les harkis à Paris*, qui n'a été, lui non plus, suivi d'aucune poursuite. J'ai voulu réagir en écrivant, dans la revue *Partisans* de décembre 1961, un éditorial qui prenait violemment à partie le préfet de police de Paris et ses services. Rédigé au lendemain de cette sermaine sanglante, j'y écrivais notamment :

> *La manifestation du 17 octobre 1961 aura fait apparaître dans notre pays d'humanistes l'évidence suivante : d'un côté, des hommes qui ont eu le courage de cette présence massive, pacifique et silencieuse, dont l'extraordinaire dignité submerge tout ; de l'« autre côté », les policiers en uniforme et les passants, les excités qui crient « bravo, allez-y, tapez fort », ou ces tristes Parisiens qui passent pressés, l'œil perdu, sans être concernés au milieu des coups et des assassinats... De cet autre côté, ce sont les chiens.*

. . . .

Il n'y a pas de soir où dans Paris, depuis sept ans, ne retentit le cri des hommes que l'on roue de coups jusqu'au coma dans les paniers à salade de nos braves agents de la circulation; sur les plus grandes artères de notre capitale, l'obscène rituel du « contrôle d'identité » n'attire plus le regard que de quelques touristes allemands étonnés. Voici deux mois, fin septembre 1961, nous avons été avertis qu'un rescapé des noyades en séries de la Seine voulait faire une conférence de presse, donner des détails et des noms. C'était la première indication précise qui nous parvenait, la première fois que l'on citait ces pratiques. Il nous a été impossible de réunir le moindre journaliste stagiaire. Chacun se récusait. Il n'y avait pas matière à article, paraît-il, et puis c'était dangereux et enfin il y avait la saisie… Mieux valait continuer à boire sagement la bonne eau de la Seine polluée de la pourriture de bougnoule.
Il aura fallu cette nouvelle pression héroïque des « damnés de la terre » pour crever ce mur de la prudence confortable.

. . . .

L'« admirable » police parisienne a fait ses preuves. M. Frey, M. Terrenoire, M. Papon, représentants et porte-paroles autorisés du gouvernement choisi par le président de la République, en ont vanté le dévouement digne de tous éloges. « La Police parisienne a fait ce qu'elle devait faire » (M. Papon au conseil municipal de Paris, le 27 octobre 1961). Tout est clair. Il va de soi que de telles déclarations mesurées n'ont rien de commun avec celle d'un excité comme le conseiller municipal UNR, M. Moscovitch: « Ce qu'il nous faut est simple et très clair: l'autorisation du gouvernement et suffisamment de bateaux comme moyens de transport. Le problème qui consiste à faire couler ces bateaux ne relève pas, hélas, du conseil municipal… »
« Une certaine presse » distille néanmoins « goutte à goutte le poison qui désagrège »; le parcage des hommes sans nourriture, sans hygiène, sans chauffage, constamment roués de coups, soumis à l'« appel » au garde-à-vous durant des heures, les soldats qui par dérision urinent dans le café, voilà ce que décrit, dans Témoignage chrétien *qui n'a pas été saisi, un témoin qui n'a pas été poursuivi. Cinquante Algériens fusillés dans la cour de la Préfecture sous les fenêtres de M. Papon, voilà ce que dénonce Claude Bourdet à la tribune sans être démenti. Les cars chargés d'agonisants déversés*

dans la Seine, voilà ce que décrivent Libération *et* L'Humanité *sans susciter de poursuites...*

Là encore, la saisie à l'imprimerie a été efficace et il n'y a eu aucune plainte de la part de personnes et d'institutions qui auraient pu à juste titre s'estimer diffamées.

De cette journée, j'ai tiré les leçons suivantes:

– Les Algériens sont venus les mains nues, pour une manifestation pacifique. Certains, accompagnés de leurs enfants.

– Les forces de l'ordre ont été trompées, convaincues qu'elles allaient se trouver devant des manifestants violents et armés. Le secret de la préparation a été observé des deux côtés: pratiquement aucun journaliste n'était présent (une exception· Jacques Derogy, qui avait été prévenu par le FLN parce qu'il avait sa confiance). La presse n'avait pas été avertie, ni par le FLN ni par les autorités; en témoignent les appels de journalistes que j'ai reçus à la suite de la mention de notre témoignage dans *Le Monde*: ils voulaient « comprendre ». Côté FLN, cette clandestinité est logique. Mais côté préfecture, dûment informée par ses services (l'énorme déploiement policier en est la preuve), ce souci de clandestinité, ce black-out, ne s'explique que par une volonté délibérée de désinformation.

– Les consignes de répression, telles que je les ai vu et entendu appliquer, étaient fondées sur la discrimination raciale.

– J'ajoute qu'il apparaît aujourd'hui que la direction de la Fédération de France du FLN a manipulé la population pacifique, alors qu'elle pouvait pourtant mesurer les risques tragiques, compte tenu de la tension qui régnait alors (du fait des attentats terroristes contre des policiers). Et cela dans un but politique qui était, autant que d'impressionner le gouvernement français, d'affirmer son poids vis-à-vis du Gouvernement provisoire algérien de Tunis.

J'accuse donc Maurice Papon des mensonges suivants:

– Il est faux que, comme il l'a prétendu, les manifestants se soient laissé conduire dans les cars sans être violentés et même avec soulagement (!).

– Il est faux que, comme il a osé le prétendre, les photos d'Élie Kagan aient pu être un « montage ». Je l'ai vu opérer, j'ai vu les planches-contact dans les jours qui ont suivi, et celles-ci, comme les négatifs, existent.

– Il est faux de prétendre que des ordres n'ont pas été donnés au sommet pour opérer une ratonnade, c'est-à-dire une chasse au faciès.

– Il est faux de prétendre que les témoins auraient pu et dû se manifester alors. J'ai témoigné le jour même par notre lettre au *Monde*, et mes autres tentatives de témoigner par écrit, comme celles du Comité Vérité-Liberté ou du cinéaste Jacques Panijel par le film, ont été tout simplement supprimées par les services de police.

Cela dit, attribuer la responsabilité des crimes commis ce jour-là au seul Maurice Papon serait simpliste. Quels que soient les pouvoirs d'un préfet de police, les conditions de leur préparation relèvent d'un niveau supérieur. Rappelons que le Premier ministre, Michel Debré, avait, entre autres, affirmé que la capitale du FLN était Paris et qu'une seule chose comptait, « gagner la guerre révolutionnaire ». Et ce n'est pas sur ordre du préfet de police que tous les témoignages ont été occultés systématiquement par des saisies, mais sur décision du ministre de l'Intérieur, Roger Frey. Une fois encore, Maurice Papon a été un rouage.

Table des matières

L'Association « 17 octobre 1961 contre l'oubli »

Mardi 17 octobre 1961 au soir, des centaines d'Algériens décident de manifester pacifiquement dans les rues de Paris pour protester contre le couvre-feu que le gouvernement français de l'époque leur impose à eux seuls. Le soir même et dans les jours qui ont suivi, la répression est d'une extrême brutalité ; elle fera, selon l'historien Jean-Luc Einaudi, plus de deux cents morts. Certains furent tués par balles, d'autres furent froidement assassinés dans la cour de la Préfecture de police de Paris que dirigeait alors Maurice Papon, d'autres encore furent battus à mort ou noyés dans la Seine après y avoir été jetés par des policiers.

Qui se souvient aujourd'hui de ces manifestations oubliées parce qu'elles sont, entre autres, occultées par la raison d'État et – la formule est de Jean-François Lyotard – par une « histoire édifiante » qui continue, à propos de ces événements, à raconter le passé en nous racontant des histoires ? Qui se souvient aujourd'hui de ces victimes massacrées pour défendre un ordre colonial moribond ? Qui se souvient aujourd'hui qu'en ces jours d'octobre 1961 un crime contre l'humanité fut commis par l'État ? Qui se souvient aujourd'hui que c'est cette toute jeune Ve République qui, treize jours après avoir fêté ses trois ans d'existence, organisa une répression dans laquelle elle donna libre cours à sa toute-puissance meurtrière contre une catégorie « à part » de Français et, avec le plus grand des cynismes, couvrit des fonctionnaires de police après qu'ils eurent exécuté sommairement des personnes, organisé de nombreuses disparitions, pratiqué la torture et des actes inhumains pour des motifs politiques et raciaux ?

Ces termes ne sont pas choisis au hasard puisque dans le nouveau Code pénal (art. 212-1), ils définissent le crime contre l'humanité auxquels ressortissent les actes qui ont été perpétrés. En effet, l'« Algérien » de l'époque, c'était le colonisé méprisé, outragé, soumis à un régime d'exception, lequel prospère au cœur même de la République qui l'organise, le défend quoi qu'il en coûte et viole ainsi les principes fondamentaux des droits de l'homme dont elle se réclame pourtant, cependant qu'elle porte ainsi atteinte à l'unité du genre humain. L'« Algérien », c'était aussi, presque nécessairement, le « terroriste » du FLN, le musulman enfin, corps étranger, depuis longtemps déjà réputé inassimilable, qui osait braver les autorités au cœur même de la capitale et revendiquer, pour lui-même, la plénitude de cette liberté, de cette égalité et de cette dignité que la France républicaine a toujours, obstinément et violemment, refusé de lui accorder.

Près de quarante ans se sont écoulés depuis que ces crimes ont été commis et ceux qui les ont organisés ou permis n'ont jamais eu à rendre compte ni de leurs décisions ni de leurs actes. Cette situation est inacceptable ; elle ajoute à ces massacres l'outrage aux victimes et à leurs proches ; elle autorise toutes les négations et toutes les révisions politiquement intéressées de ceux qui, de ce passé, ne veulent rien savoir. Afin que cesse cette injustice qui se soutient d'un silence complice et délibéré, nous avons lancé en 1999 un appel pour que la République reconnaisse enfin qu'il y a eu crime, pour que soit créé un lieu du souvenir à la mémoire des victimes et des disparus, pour que l'oubli ne vienne pas s'ajouter à leur assassinat. Oubli qui, en occultant le crime, permet à ce passé de passer sans qu'aucune mémoire ne vienne rappeler aux citoyens que nous sommes l'extrême gravité de ces événements.

La justice, la vérité, le combat indispensable pour s'opposer aux crimes contre l'humanité quels que soient les temps et les lieux où ils ont été commis, quels que soient les régimes qui les ont perpétrés, la lutte enfin contre une raison d'État qui triomphe encore exigent que les plus hautes autorités politiques de ce pays fassent droit à ces revendications légitimes. Aujourd'hui, cet appel a recueilli plus de deux mille six cents signatures. Plus de deux cents élus, maires, conseillers régionaux, parlementaires, sénateurs et députés européens français et étrangers, des membres du Collège de France, des philosophes, des sociologues, des historiens, des juristes, des universitaires, des écrivains, des artistes, des responsables d'associations, des journalistes, des salariés, des étudiants et des lycéens se sont joints au mouvement qui s'ébauche pour dire : cet oubli et cette injustice doivent cesser.

Indépendante et unitaire, comme en témoigne la diversité politique et intellectuelle de ceux qui aujourd'hui la soutiennent, cette initiative s'adresse à tous ceux qui estiment, quels que soient leurs opinions, leurs engagements partisans, associatifs ou syndicaux, que les crimes commis les 17 et 18 octobre 1961 doivent être, officiellement et publiquement, reconnus par la République. De même, nous nous adressons aux partis et aux syndicats pour qu'ils se prononcent en ce sens afin que, avec les associations antiracistes et de défense des droits de l'homme qui ont lutté pour mettre un terme à cette amnésie nationale, un nouvel élan soit donné à ces revendications. Tous ensemble, nous devons préparer le quarantième anniversaire de ces massacres pour que soient organisées, à Paris et en France, des manifestations politiques, universitaires, artistiques et cinématographiques destinées à rappeler ces massacres d'octobre.

Olivier Le Cour Grandmaison, président de l'Association « 17 octobre 1961 contre l'oubli », Sidi Mohammed Barkat, vice-président, Olivier Revault d'Allonnes, membre du comité d'honneur.

---✂---

Le 17 octobre 1961 : pour que cesse l'oubli

Les 17 et 18 octobre 1961, lors d'une manifestation non violente contre le couvre-feu qui leur était imposé, des dizaines d'Algériens étaient assassinés à Paris par des fonctionnaires de police aux ordres de leurs supérieurs. Depuis trente-huit ans, ce crime contre l'humanité commis par l'État a été occulté, et ceux qui l'ont organisé n'ont jamais eu à rendre compte ni de leurs décisions ni de leurs actes. Une telle situation est inacceptable, car elle ajoute à ce massacre l'outrage aux victimes et à leurs proches. Pour que cesse cette injustice qui se soutient d'un silence complice et voulu, nous demandons que soit créé un lieu du souvenir à la mémoire de ceux qui furent assassinés, et que la République reconnaisse enfin qu'il y a eu crime.

Nom **Prénom** **Profession** **Signature**

Vous pouvez adresser les signatures à l'adresse suivante :
O. Le Cour Grandmaison, 159, boulevard du Montparnasse, 75006 Paris, par mail à olivier.lecour@wanadoo.fr ou par fax à ce numéro : 01 48 44 66 13.

Dans la même collection

Littérature et voyages

Fadhma Amrouche, *Histoire de ma vie.*

Taos Amrouche, *Le grain magique.*

Ibn Batûtta, *Voyages* (tome 1).

Ibn Batûtta, *Voyages* (tome 2).

Ibn Batûtta, *Voyages* (tome 3).

Louis-Antoine de Bougainville, *Voyage autour du monde.*

René Caillié, *Voyage à Tombouctou* (tome 1).

René Caillié, *Voyage à Tombouctou* (tome 2).

James Cook, *Relations de voyage autour du monde.*

Hernan Cortés, *La Conquête du Mexique.*

Homère, *L'Odyssée.*

Jean-François de Lapérouse, *Voyage autour du monde sur* l'Astrolabe et la Boussole.

Bartolomé de Las Casas, *Très brève relation de la destruction des Indes.*

Louis-Sébastien Mercier, *L'an 2440, rêve s'il en fut jamais.*

Louis-Sébastien Mercier, *Le tableau de Paris.*

Louise Michel, *La Commune, histoire et souvenirs.*

Martin Nadaud, *Léonard, maçon de la Creuse.*

Mongo Park, *Voyage dans l'intérieur de l'Afrique.*

Lady M. Montagu, *L'islam au péril des femmes.*

Marco Polo, *Le devisement du monde, le livre des merveilles* (tome 1).

Marco Polo, *Le devisement du monde, le livre des merveilles* (tome 2).

Mémoires de Géronimo.

Inca Garcilaso de la Vega, *Commentaires royaux sur le Pérou des Incas* (tome 1).

Inca Garcilaso de la Vega, *Commentaires royaux sur le Pérou des Incas* (tome 2).

Inca Garcilaso de la Vega, *Commentaires royaux sur le Pérou des Incas* (tome 3).

Essais

Mumia Abu-Jamal, *En direct du couloir de la mort.*

Rochdy Alili, *Qu'est-ce que l'islam ?*

Michel Authier et Pierre Lévy, *Les arbres de connaissances.*

Louis Barthas, *Les carnets de guerre de Louis Barthas, tonnelier, 1914-1918.*

Michel Beaud, *Le basculement du monde.*

Paul Blanquart, *Une histoire de la ville.*

Augusto Boal, *Jeux pour acteurs et non-acteurs.*

Augusto Boal, *Théâtre de l'opprimé.*

Lucian Boia, *La fin du monde.*

Philippe Breton, *L'utopie de la communication.*

François Burgat, *L'islamisme en face.*

Ernesto Che Guevara, *Journal de Bolivie.*

Daniel Cohn-Bendit, *Une envie de politique.*

Sonia Combe, *Archives interdites. L'histoire confisquée.*

Gustave Folcher, *Les carnets de guerre de Gustave Folcher, paysan languedocien, 1939-1945.*

Daniel Guérin, *Ni Dieu ni Maître* (tome 1).

Daniel Guérin, *Ni Dieu ni Maître* (tome 2).

Roger-Henri Guerrand, *Les lieux.*

Roger-Henri Guerrand, *L'aventure du métropolitain.*

La Découverte/Poche

Jean Guisnel, *Guerres dans le cyberespace.*

Joseph Klatzmann, *Attention statistiques !*

Paul R. Krugman, *La mondialisation n'est pas coupable.*

Pierre Larrouturou, *Pour la semaine de quatre jours.*

Jean-Pierre Le Goff, *Les illusions du management.*

Pierre Lévy, *L'intelligence collective.*

Pierre Lévy, *Qu'est-ce que le virtuel ?*

Paul Lidsky, *Les écrivains contre la Commune.*

André L'Hénoret, *Le clou qui dépasse.*

Alain Lipietz, *La société en sablier.*

Sven Ortoli et Jean-Pierre Pharabod, *Le cantique des quantiques, le monde existe-t-il ?*

Daya Pawar, *Ma vie d'intouchable.*

Paulette Péju, *Ratonnades à Paris.*

Jeremy Rifkin, *La fin du travail.*

Charles Rojzman, *Savoir vivre ensemble.*

Bertrand Schwartz, *Moderniser sans exclure.*

Victor Serge, *L'an I de la révolution russe.*

Maryse Souchard, Stéphane Wahnich, Isabelle Cuminal, Virginie Wathier, *Le Pen, les mots.*

Benjamin Stora, *La gangrène et l'oubli.*

Pierre Vidal-Naquet, *Algérie : les crimes de l'armée française.*

Michel Wieviorka, *Une société fragmentée ?*

Michel Wieviorka, *Le racisme, une introduction.*

Sciences humaines et sociales

Louis Althusser, *Pour Marx.*

Jean-Loup Amselle et Elikia M'Bokolo, *Au cœur de l'ethnie.*

Paul Bairoch, *Mythes et paradoxes de l'histoire économique.*

Étienne Balibar et Immanuel Wallerstein, *Race, nation, classe.*

Yves Bénot, *Massacres coloniaux, 1944-1950.*

Bernadette Bensaude et Isabelle Stengers, *Histoire de la chimie.*

Philippe Breton et Serge Proulx, *L'explosion de la communication.*

Philippe Breton, *La parole manipulée.*

Yves Clot, *Le travail sans l'homme ?*

Serge Cordellier, *La mondialisation au-delà des mythes.*

Mike Davis, *City of Quartz. Los Angeles, capitale du futur.*

Alain Desrosières, *La politique des grands nombres.*

François Dosse, *L'empire du sens.*

François Dosse, *Paul Ricœur.*

Mary Douglas, *De la souillure.*

Florence Dupont, *L'invention de la littérature.*

Jean-Pierre Dupuy, *Aux origines des sciences cognitives.*

Patrice Flichy, *Une histoire de la communication moderne.*

François Frontisi-Ducroux, *Dédale.*

Yvon Garlan, *Guerre et économie en Grèce ancienne.*

Peter Garnsey et Richard Saller, *L'Empire romain. Économie, société, culture.*

Jacques T. Godbout, *L'esprit du don.*

Anne Grynberg, *Les camps de la honte.*

E.J. Hobsbawm, *Les bandits.*

Camille Lacoste-Dujardin, *Des mères contre les femmes.*

Yves Lacoste, *Ibn Khaldoun.*

Bernard Lahire (sous la dir. de), *Le travail sociologique de Pierre Bourdieu.*

Bruno Latour, *Nous n'avons jamais été modernes.*

Bruno Latour, *Pasteur : guerre et paix des microbes.*

Bruno Latour et Steve Woolgar, *La vie de laboratoire.*

Prosper-Olivier Lissagaray, *Histoire de la Commune de 1871.*

Geoffrey E.R. Lloyd, *Pour en finir avec les mentalités.*

Georg Lukacs, *Balzac et le réalisme français.*

Armand Mattelart, *L'invention de la communication.*

Armand Mattelart, *La communication-monde : histoire des idées et des stratégies.*

Armand Mattelart, *Histoire de l'utopie planétaire.*

Gérard Mendel, *La psychanalyse revisitée.*

Élisée Reclus, *L'homme et la Terre.*

Roselyne Rey, *Histoire de la douleur.*

Maxime Rodinson, *Peuple juif ou problème juif ?*

André Sellier, *Histoire du camp de Dora.*

Jean-Charles Sournia, *Histoire de la médecine.*

Jean-Pierre Vernant, *Mythe et pensée chez les Grecs.*

Jean-Pierre Vernant, Pierre Vidal-Naquet, *Mythe et tragédie en Grèce ancienne,* (tome 1).

Jean-Pierre Vernant, Pierre Vidal-Naquet, *Mythe et tragédie en Grèce ancienne,* (tome 2).

Michel Vovelle, *Les Jacobins.*

Max Weber, *Économie et société dans l'Antiquité.*

C. Wright Mills, *L'imagination sociologique.*

La Découverte/Poche

Composition Carmen Fabre, La Magdeleine-sur-Tarn
Achevé d'imprimer sur Cameron
à Saint-Amand-Montrond (Cher) en octobre 2001. (2e tirage)
Dépôt légal du 1er tirage : 4e trimestre 2000.
N° d'impression : 014936/1. *Imprimé en France*

BUSSIERE CAMEDAN IMPRIMERIES
GROUPE CPI